20대를 무난하게 살지 마라

20대를
무난하게
살지 마라

인생의 기반을 만드는 시기에
습득해야 할 삶과 일에 대한 태도

나가마쓰 시게히사 지음 | 박지운 옮김

길위의책

인생의 스타일을 결정하는
'처음 10년'을 어떻게 살 것인가?

● ● ● ● ●

- 20대를 좀 더 의미 있게 보내고 싶다

- 30대 이후 삶을 후회하면서 살고 싶지 않다

- 20대가 가기 전에 흔들리지 않는 나의 중심을 갖고 싶다

- 20대가 가기 전에 쉽게 물러서 버리는 나를 바꾸고 싶다

- 20대가 가기 전에 좀 더 행동력을 갖추고 싶다

- 앞서 나가는 20대가 되기 위한 요건이 무엇인지 알고 싶다

- 20대의 남은 시간에 나의 부족한 부분을 채우고 싶다

- 20대를 제대로 보냈는지 되돌아보고 싶다

- 앞으로 좀 더 다양한 일에 도전하고 싶다

- 20대 부하 직원이나 자녀가 가진 고민을 알고 싶다

이런 바람을 지닌
사람들에게
이 책을 바친다.

처음 10년, 어떻게 살 것인가?

이 책에서 말하고 싶은 것은 한마디로 '성공하는 20대의 조건'이다.

오늘날 사회에서 두각을 나타내는 사람들은 20대에 무엇을 생각하고 느끼며, 어떻게 행동했을까? 나는 그것들을 모두 여러분에게 전해주고 싶다.

성공 궤도를 달리는 사람은 나이와 상관없이 자기 안에 확고한 '중심'이 있다. 여러분도 자기만의 '중심'을 가지고 스스로 만족할 수 있는 인생을 준비하기 바란다.

'중심'이란 살아가면서 절대 흔들리지 않는 독자적인 가치관을 의미한다.

다양한 경험을 하게 될 20대의 10년, 주변에 휩쓸리지 않고 자신의 중심을 지키는 일이 무엇보다 중요하다.

이 원칙만 따른다면 20대는 눈부시게 빛날 수 있다. 여러분이 걱정하는 그 이후의 삶 또한 누구보다 만족하며 행복하고 의미 있게 살아갈 수 있다.

자신의 '중심'에 대해 깊이 생각해보고 이를 뚜렷하게 정립해나가자.

나는 직장인, 사업가, CEO라는 세 가지 직업을 갖고 20대를 보냈다.

지금 와서 보면 20대에는 어려운 기술을 익힐 필요가 없다는 생각이 든다. 그보다는 굵직하면서도 유연해서 부러지지 않는 나만의 중심을 만들어가는 것이 훨씬 더 도움이 된다.

20대는 사회에서 미숙한 풋내기 취급을 받는다. 직장에서는 불합리한 상황에 부딪혀 좌절하는 일도 비일비재하다.

이전까지 지켜오던 가치관은 거의 통용되지 않고, 뜻대로 안 되거나 감당할 수 없는 일이 점점 늘어난다. 심지어 자신의 존재 자체가 거부당하고 자존감이 떨어지는 일도 많다. 또 납득이 되지 않은 상태에서 사회 규범을 따라야 할 때도 있다.

20대는 사회나 집단에서 자신의 잣대를 들이댈 때마다 힘없이 툭툭 부러진다.

이것이 20대의 리얼한 현실이다.

그렇다고 해서 현실이 이러니까 이 세상에 맞춰 약삭빠르게 살라는 말은 아니다.

오히려 그런 모순으로 가득 찬 세상에서 나답게 살아가길 바란다는 말을 전하고 싶다. 20대에 서툰 것은 당연하다.

나 답게 살기 위해서는 자기 안에 꼿꼿한 심지를 꽂아야 한다. 누구에게도 양보할 수 없는 자기만의 중심을 가져야 한다.

가장 먼저 갖춰야 할 것은 삶의 기초 체력이다.

인생을 살아가는 기본적인 태도는 20대 때 만들어진다.

인생의 중대한 일들을 처음으로 경험하는 시기이며, 그 첫 인상이 마음에 새겨져 미래의 자산이 된다.

앞으로 여러분이 살아가면서 부딪칠 수많은 장벽들은 20대부터 본격적으로 나타나며, 그것은 삶의 고난과 역경의 원형이 된다. 그 장벽들을 대하는 20대 때 태도가 삶의 기초 체력이자, 여러분의 '중심'이 되는 것이다.

돈을 예로 들어보자.

보통 경력이 쌓일수록 수입이 는다. 단, 대출이나 지출도 함께 늘어난다. 여기서 문제는 수입이나 지출의 양이 아니다. 지출을 절제하면서 생계를 이끌어 나가는 '균형 감각'이다.

다시 말해 돈에 대한 기본적인 태도는 20대든 40대든 다르지 않다. 이는 인생의 모든 영역에 적용할 수 있는 이야기다.

일, 연애, 결혼, 취미, 가치관, 우정, 인간관계 등에 문제가 생겼을 때 어떤 식으로 대응할 것인가 하는 기본적인 태도는 20대에 모두 결정된다.

20대라는 소중한 시기를 무난하게 보내지 말 것.
주변에 휩쓸려 자신의 중심을 잃지 말 것.
'그때 내 생각을 믿을걸' 하고 후회하지 말 것.

난관에 부딪혔거나 미래에 대해 불안할 때 어떻게 행동하느냐에 따라 그 이후 인생이 달라진다.

세상으로 나가는 준비 기간인 20대에는 인생의 기초를 굳건히 다져야 한다. 지금부터 그 마음가짐에 관해 이야기하고자 한다. 이야기를 시작하기 전에 한 가지 말해두고 싶은 것이 있다.

　　부모 세대들은 요즘 20대들이 너무 나약하다고 말하는데, 나는 그렇게 생각하지 않는다.

　　경제가 성장하는 시대에는 도전하면서 활력 넘치는 삶을 살 수 있지만, 저성장 시대에는 불황을 견디는 방식으로 살아갈 수밖에 없다.

　　거품 경제를 경험한 50대가 지금 20대를 보낸다고 해도 분명 나약하다는 말을 들을 것이다. 반대로 현재를 살아가는 20대가 고성장 시대를 살았다면 풍요로움을 누리며 활기차게 살았을 것이다.

　　시대는 달라도 20대의 에너지는 다르지 않다. 생각의 범위와 고민의 질도 거의 비슷하다. 단지 시대적 배경이 다를 뿐이다.

　　주어진 조건 속에서 어떻게 생각하고 어떻게 행동하느냐는 세대나 시대와 관계가 없다.

　　이 책은 시대에 따라 쉽게 변하는 것이 아닌 **보편적이고 본질적인 것**에 대해 말하고자 한다. 여러분보다 조금 먼저 20대를 보낸 선배의 애정 어린 조언으로 생각해도 좋다. 내가 경험을 통해 배운 지혜가 여러분에게 조금이나마 보탬이 된다면 더할 나위 없겠다.

　오랜만에 만난 선배와 술 한 잔 하며 이야기를 나눈다는 마음으로 읽으면 어떨까?

　테이블을 사이에 두고 마주 앉아 같은 눈높이에서 미래를 함께 고민하고 싶다.

- 나가마쓰 시게히사

목차

제1장

20대의 일

사회생활을 하기 전에

twenties•

또래 친구들이
하지 않는 것을
해라

또래 문화에만 빠져 있기보다 다른 연령층에도
관심을 갖는 것이 새로운 기회를 가져온다.

● 지금 페이스북을 하는 20대가 성공한다

"전 페이스북 안 해요. 페이스북은 3, 40대가 많이 쓰지 않나
요? 우리는 인스타그램이죠."

20대들이 자주 하는 말이다.

확실히 그럴지도 모른다. 20대는 페이스북보다 인스타그
램을 더 좋아한다.

그런데 인스타그램 등 또래들에게 인기 있는 플랫폼에만
관심 있는 사람들을 보면 '아, 주변에 휩쓸리고 있구나' 하는
생각이 든다.

인스타그램을 하는 것이 잘못됐다는 말은 아니다.

사람들은 왜 같은 또래 안에서 더 편안함을 느끼는 것일까? 왜 또래들의 최신 트렌드를 따라가지 못하면 불안해할까?

그러나 연장자들 속으로 얼마나 잘 섞여 들어가느냐에 따라 20대의 앞날이 결정된다. 사회에서 20대에게 기회를 주는 사람은 사회에서 오랫동안 경험을 쌓아온 연장자들이기 때문이다.

따라서 페이스북이 3, 40대들이 주로 사용하는 매체라면 페이스북을 함으로써 어떤 기회를 얻을 수 있지 않을까?

'주변에서 하지 않으니까 나도 안 할래'가 아니라 '주변에서 하지 않으니까 내겐 좋은 기회야'라고 생각하면 내게 유리한 쪽으로 발상이 전환된다.

페이스북에는 다른 세대, 즉 20대에게 기회를 주는 사람들이 많이 모여 있어 그들의 사고방식과 수준 높은 인간관계 등을 배울 수 있다.

그 속에서 자신의 매력을 뽐낼 수 있다면 그들과 소통해볼 가능성도 높아진다. 이렇게 하면 또래 친구들보다 더 넓고 큰 세상을 바라보는 안목이 생긴다.

● 무난하게 살겠다는 마음을 버린다

사회는 다양한 세대로 이루어져 있다.

그중에서도 20대는 앞으로 사회에 나가 수없이 도전하고 이런저런 경험을 마음껏 할 수 있는 기회의 세대이다.

그런데 직장인이 되어 같은 세대 사람들 하고만 어울리면 그만큼 기회가 줄어든다.

앞서가는 20대들은 자기만의 의지가 있다.

20대라는 젊은 나이에도 남다른 아우라가 뿜어 나온다.

"그에게는 남다른 뭔가가 있어."

"그는 분명 크게 될 거야."

그들의 평판은 일찌감치 결정된다.

다른 사람들의 생각과 행동에 억지로 보조를 맞추지 않아도 된다. 서툴러도 괜찮다. 할 수 있다면 조금 더 튀어보는 것은 어떨까? 단, 중심은 잡고.

또래 친구들에게 이런 말을 듣는 정도면 어떨까?

"대체 무슨 생각으로 저러는지 모르겠다니까."

이런 사람들이 미래에 갖게 되는 그릇의 크기는 보통 사람들과 다를 수밖에 없다.

앞서 나가는 사람들이 하는 일은 초반에 다른 사람들의 이해를 구하기가 쉽지 않다. 그들이 무슨 일을 하려는지 잘 모르기 때문이다.

세상을 뒤집을 만한 사건은 시대를 막론하고 1%의 사람들에 의해 시작되었다.

단 한 번뿐인 20대를 주변 사람들에게 휩쓸려 자신의 재능을 썩히면 안 된다.

주변 사람들과 조화를 이루기 위해 자기 개성을 억누르고 무난하게 살겠다는 생각은 이 글을 읽고 있는 지금 바로 버려야 한다.

'사람들이 오른쪽으로 가면, 나는 새로운 길을 찾아갈 거야.'라는 마음으로 모험을 택하는 것이 유일한 방법이다.

**생각하는
습관을 가져라**

무리하게 시대의 흐름을 쫓아가려고 애쓰지 않는다.
정보에 지나치게 의존하면 오히려 그 정보에 휘둘리게 된다.

● **생각하는 법을 잊어버린 것일까?**

21세기는 정보와 지식이 넘쳐나는 시대다.

사전을 들춰 가면서 겨우겨우 찾았던 정보도 이제 검색 사
이트에 키워드만 입력하면 단 몇 초 만에 얻을 수 있다.

우리는 이 편리함 때문에 소중한 것을 잃어버렸다.

바로 '사고력'이다.

**생활이 너무 편리해진 나머지 스스로 생각하지 않는 사람들
이 과거에 비해 많아졌다.**

사고력을 상실한 상태를 '사고 정지'라고 한다.

문제는 스스로 생각하지 않다 보면 누군가에게 쉽게 세뇌

당한다는 점이다.

스스로 생각하기를 멈출 때 사람들은 어떤 것에 의존하고 싶어진다.

그 '어떤 것'은 미디어나 SNS에 떠도는 유언비어일 수도 있고 수상한 종교일 수도 있다.

그렇게 되면 자신이 의존하는 것에 갇혀 제대로 사고할 수 없다. 빠지기 쉬운 '사고 정지'의 함정이다.

화장지가 없어질 거라는 헛소문이 퍼지자마자 마트 진열 대에서 화장지가 사라지는 식의 일들은 지금도 수없이 일어 난다. 뿐인가? 허황된 투자 이야기에 거금을 덥석 내놓기도 한다.

'내가 믿는 사람이 그렇다고 하니까'라면서 주변 사람들의 걱정은 뒤로한 채 황당무계한 세계로 점점 빠져든다. 스스로 생각하고 판단해본 경험이 없는 사람들이 겪는 전형적인 루 트이다.

절대 그럴 리 없다고 생각할지도 모르지만, 평소에 생각하 는 습관을 연습하지 않으면 흘러넘치는 정보나 말에 쉽게 좌지우지된다. 이것은 매우 위험한 일이다.

그런데 오늘날 많은 사람이 이러한 '사고 정지' 상태에 빠져 있다.

● **세상은 그렇게 빨리 변하지 않는다**

사람들은 흔히 "무엇이 나왔으니 무엇은 이제 사라질 것이다"라는 말을 자주 한다.

새로운 것이 나오면 약속이나 한 듯 "○○의 시대는 끝났다"고 말한다.

문제는 이 말이 꽤 그럴듯한 최신 정보처럼 들린다는 데 있다.

라디오가 나왔으니 신문은 사라질 것이다.

텔레비전이 나왔으니 라디오는 사라질 것이다.

전자책이 나왔으니 종이책은 사라질 것이다.

인터넷과 SNS가 나왔으니 텔레비전과 라디오는 사라질 것이다.

실제로는 어떠한가? 아무것도 사라지지 않았다.

"앞으로는 인스타그램의 시대다."

"유튜브를 하지 않으면 살아남기 힘들다."

"페이스북은 이제 끝났다."

이런 주장을 하는 사람들에게 "사라질 거라고 했는데 아직 있는데요?"라고 물으면 "어디까지나 예측이었어요"라며 은근슬쩍 빠져나갈 것이다.

그만큼 일반적으로 발신되는 정보란 부정확하고 모호하다.

수시로 변하며 신뢰도가 낮은 정보에 휘둘리지 말자.

어느 시대나 세상은 '정보를 퍼뜨리는 사람'과 '거기에 휘둘리는 사람'으로 나뉜다.

문제는 정보 발신자가 자신의 편의에 따라 수시로 정보를 만들어낸다는 점이다.

이 점을 명확히 인지하고 정보를 잘 선별해야 한다. 그러기 위해서는 스스로 생각해보는 연습이 필요하다.

'SNS를 하면 재밌을 것 같아서.'

'유튜브에 공유하고 싶은 영상이 있어서.'

딱 이정도 가볍게 생각하고 시작하는 편이 좋다.

시대의 흐름을 무리하게 쫓아가려고 애쓰지 말자.

정보에 지나치게 의존하면 오히려 그 정보에 휘둘리기 때문이다.

그러면 결국 정보가 흐르는 방향에 따라 이리저리 흔들리며 살게 된다. '나'는 사라지고 주인 없는 정보들만 아무 의미 없이 당신 주변을 맴돌 것이다.

그 정보들 중에 실상 우리 미래에 도움되는 것은 하나도 없다. 20대 때에는 냉정하고 객관적으로 시대의 흐름을 파악하는 여유를 갖자.

내 안의
상식을
의심하라

자신이 알고 있는 것을 의심하는 연습을 하면
자기만의 의견을 가질 수 있다.

● 주변에 휩쓸려 스타일을 정하지 않는다

20대는 학생에서 사회인으로, 아이에서 어른으로 거듭나는 과정에 있는 존재다.

20대만이 내세울 수 있는 특별함이 있다. 물론 경험치 면에서는 부족한 부분이 있을 수밖에 없다.

20대가 사회에서 내릴 수 있는 결정의 범위는 넓지 않다. 경험이 많지 않아 실수가 잦은 것도 사실이다. 그럴 때 이 말을 기억하자.

"대중은 항상 틀리다."

1950년대 미국에서 활약한 라디오 진행자 겸 작가 얼 나이팅게일이 한 말이다.

대중을 대상으로 일하는 사람이 이런 말을 했다는 점이 무척 흥미롭고 의미심장하다.

정말로 대중이 항상 틀리는지는 모르겠지만, 적어도 이 말은 어떤 의미에서 진리를 꿰뚫고 있다.

우선 '상식'이란 어디까지나 대중이 자신들의 의견을 옹호하기 위해 만들어낸 편리한 말임을 기억해두자.

이 사실을 이미 깨달은 사람은 주변에 휩쓸려 자신의 스타일을 정하지 않는다.

또한 이런 이유로 자신의 길을 선택하지 않는다.

"주변 사람들이 하니까."

"우리 세대는 다들 그렇다고 하니까."

오히려 거대한 흐름에 휩쓸린 사람들의 맹점을 찾아내 성장하기 위한 발판으로 삼는다.

그리고 아무도 가지 않는 길을 걸으며 일찍부터 자기만의 스타일을 만들어나간다.

● 나름의 의견을 갖는 연습

사람들의 생각이 틀리다는 것을 알아차리는 방법은 무엇일까?

많은 사람이 입을 모아 "맞아, 맞아!"라고 말하는 것에 대해 '정말 그런가?' 하고 의심하면서 관찰하고 생각해보는 습관을 들이는 것이다.

방송 프로그램에서 유명한 사회자가 누군가를 비판하거나 미래에 대해 부정적인 이야기를 한다고 가정해보자.

그러면 사람들은 대부분 "아, 그는 정말 나쁜 사람이구나", "그래? 전망이 어둡단 말이지?" 하면서 그의 말을 있는 그대로 믿어버린다.

인터넷을 뜨겁게 달군 기사에는 누군가를 궁지로 몰아넣는 댓글이 즐비하다. 그런 곳에 일부러 뛰어들어 반론을 펼치라는 말이 아니다.

어떤 사건이나 상황이 벌어졌을 때, 누군가 어떤 말을 할 때, 그것에 대해 '나는 이렇게 생각한다'라고 자신의 의견을 갖는 연습을 해보는 것이다.

자기가 내린 결론이 많은 사람의 의견과 같다면 어쩔 수 없다. 이는 주변에 휩쓸리는 것이 아니라 어쩌다 보니 다른 사람과 같은 길을 선택한 것뿐이다.

이럴 때는 당당히 가슴을 펴고 그 길로 걸어가면 된다.

이처럼 당연하게 여겨 온 것들에 대해 다시 한번 생각해보는 데서 여러분 자신의 '혁명'이 시작된다.

잘못됐다고 판단될 때는 '상식'을 과감히 버려야 발상을 전환할 수 있다.

이렇게 생각하는 연습을 하다 보면 자신이 그동안 사회나 부모 등의 앞 세대에게 길들여져 그들의 '상식'에 갇혀 있었다는 사실을 깨닫게 된다.

사고가 유연한 20대에 자기 안의 상식을 의심하는 연습을 해두자. 이 연습을 본격적으로 해볼 수 있는 때는 20대, 처음 10년이다. 이를 습관화하면 성공이라는 인생의 행복을 손에 넣을 수 있다.

자기만의
성공 법칙을
만든다

성공한 사람들은 모두 자기만의 방식이 있다.
그것을 그대로 따라해도 우리는 그 사람이 될 수 없다.

● 그의 성공 법칙은 나에게 맞지 않는다

인생의 성공 비결을 묻는 한 젊은이와 멘토가 대화를 나누
고 있었다. 멘토가 젊은이에게 말했다.

"지금 당신에게 알려줄 수 있는 '인생의 성공 비결'은 어디까
지나 내 생각에 불과해요. 이것이 반드시 당신에게 통하리란 법
은 없습니다. 스스로 세 가지 성공 비결을 생각해보세요. 그리고
그것을 찾으면 내게도 알려주세요."

그렇다. 인생에서 성공을 이룬 사람들은 모두 자기만의 방

식이 있다. 그것을 그대로 따라한다고 우리가 그들처럼 될 수는 없다. 그러니 자기만의 '무엇'을 찾아야 한다.

● 내가 만드는 성공 법칙

성공적인 인생을 사는 사람들은 자기만의 비결을 어떻게 만들까?

다음 세 가지를 참고해보자.

① 가만히 앉아서 배우지 않는다

가만히 앉아서 배우기만 하면 자신의 주체성을 잃고 만다.

스스로 생각하고 행동하면 실수야 하겠지만 금방 능숙해진다.

예를 들어, 자신이 신뢰하는 성공한 사람이 '이렇게 했더니 잘되더라'라는 정보를 주면 주저 말고 실천에 옮겨보자.

이때 중요한 것은 그것이 자신에게 맞는지 확인해야 한다는 점이다.

사람에 따라 환경이나 성격, 상황이 다르기 때문에 그 방법으로 성공한 사람이 있다고 해서 자기도 반드시 잘 되리라는 보장은 없다.

단, 해보지 않으면 검증할 방법이 없으니 일단 실행해야 한다. 앞서 나가는 사람은 일단 해본다. 해보아야 검증된다.

그 과정에서 자신에게 맞는 방법을 찾을 수 있고, 그 과정에서 독자적인 스타일이 나온다.

② 열정을 쉽게 꺼뜨리지 않는다

성공하기 위해서는 집념에 가까운 열정을 지녀야 한다. 포기하는 법을 잊어야 한다.

성공하는 사람은 한두 번의 실패로 좌절하지 않는다. 이렇게 표현하면 뭔가 그럴싸해 보이지만 실은 무슨 일에든 쉽게 질리지 않을 뿐이다.

남들이 "뭐야, 아직도 하고 있어?"라고 비웃을 만큼 이런저런 방법을 시도하며 하는 일에 지속성을 부여해야 한다.

사실 주변 사람들이 어처구니없어할 정도가 아니면 성공하기 힘들다.

"너한테는 무리야"라는 말을 듣더라도 포기하지 않고 끊임없이 도전해서 마침내 성공하는 사람은 오랜 시간 기꺼이 견디는 사람이다.

무슨 일이든 남들보다 끈기 있게 해야 성공할 수 있다.

열한 번째에 잘 될지도 모르는데 열 번째에 포기해버리는 것만큼 안타까운 일도 없다.

③ 무엇을 하든 '성실'이 기본이다

'요령 있게 잘 끝내야지.'

이런 안이한 생각을 버리자.

모양새는 나쁘더라도 꾀부리지 않고 꾸준히 될 때까지 해야 한다.

어리석다고 한들, 바보 같다고 한들 무슨 상관인가.

남들에게 비웃음을 산다는 것은 잘난 척하지 않고 성실히 해나가고 있다는 증거이니 자신감을 가져도 좋다.

어느 시대에나 무언가를 이루는 사람은 이런 유형에 속한다. 무엇을 하든 성실이 기본이다. 너무 당연한 말이라 구태의연하게 들릴지도 모르지만, 세상에는 변하지 않는 것도 있다. 이것도 그중에 하나다.

위 세 가지는 어디까지나 내가 생각하는 성공의 조건이다.

여러분이 생각하는 '인생의 성공 비결'은 무엇일까?

다른 사람이 알려주는 방법에만 의존하지 말고 여러분이 생각하는 것을 최우선으로 생각해야 한다. 자기만의 방식과 비결을 생각해보는 과정 또한 인생의 즐거움이다.

왜 제멋대로인 사람이 더 성공하기 쉬울까?

상대방의 시선이나 입장만 생각하지 말고,
자신만의 관점을 갖고 자신을 우선으로 생각한다.

● **누구나 겪고 있는 '오답 공포증'**

여러분은 다른 사람들 앞에서 자신의 의견을 확실하게 표현하는 편인가, 아니면 무조건 상대에게 맞추거나 주변 눈치를 살피느라 감정을 억누르는 편인가?

아마 후자에 속하는 사람들이 많을 것이다. 주변 사람들을 배려하는 태도는 칭찬받아 마땅하다. 하지만 그것에도 정도가 있다. 남을 지나치게 신경 쓰거나, 늘 다른 사람의 감정이나 상태를 우선시하는 사람은 자신의 진짜 감정을 알아차리지 못한다.

자신의 본심과 마주해야 한다는 사실조차 잊어버린다. 아니, 자기 감정이 있다는 것조차 알아차리지 못한다.

그러나 훗날 인생을 돌아보며 뼈저리게 후회한다.

대체 무엇을 위해 그렇게 살아야 했을까?

사회 분위기와 교육의 영향으로 어렸을 때부터 우리 마음속에는 반드시 '정답'을 말해야 한다는 생각이 무의식중에 자리 잡고 있다. 오답을 말할까 봐 늘 걱정하고 불안해한다.

이를 '오답 공포증'이라고 한다.

"정말로 어떻게 하고 싶어?"

"진짜 하고 싶은 일이 뭐야?"

주변 사람들의 이런 물음에 바로 대답할 수 없는 까닭은 자신의 감정을 들여다보지 않고 **'이럴 때는 이렇게 대답해야 한다'**는 정답만 찾기 때문이다.

이것이 '오답 공포증'의 특징이다.

여러분은 어떠한가? 한 번쯤 생각해보자. 혹시 이런 증상에 시달리고 있지는 않은지.

● 제멋대로 하는 사람이 유리한 이유

'문제아일수록 성공한다.'

이 말을 듣고 '내 얘기잖아? 좋았어!' 하고 생각하는 사람도 있겠지만, 자신을 부정당한 듯한 복잡한 마음이 드는 사람도 있을 것이다.

'노력도 하지 않고 반항만 하면서 어떻게 성공한다는 말이지?'

성실하게 노력해온 사람들 눈에는 이상하게 보일지도 모른다.

하지만 문제아가 성공하는 데는 이유가 있다.

문제아들은 상대가 원하는 답을 내놓아야 한다는 '오답 공포증'이 없다. 반드시 성공해야 한다는 강박도 없다.

이러한 유형은 오히려 지적을 당하는 것에 익숙해 마음 가는 대로 거침없이 행동한다.

그들의 경험과 사고방식은 무에서 유를 창조하는 활동이 요구되는 곳에서 진가를 발휘한다.

● 20대, 제멋대로 살아라

겸손과 양보는 살아가면서 매우 중요한 덕목이다. 하지만 언제나 그렇듯 과함은 모자람만 못하다.

'이런 말을 해서 비웃음을 사면 어떡하지?'

'이런 행동을 하면 무시당하지 않을까?'

비웃음을 당하고 무시를 당한다고 무슨 큰일이 일어나는 것은 아니다. 그럼에도 불안하고 두렵다.

우선 비웃고 무시하는 사람이 옳지 않음을 인식해야 한다. 그것은 그저 하나의 의견일 뿐이다.

또는 그 사람이 여러분의 능력을 꿰뚫어 보지 못했을 뿐일지도 모른다.

여러분을 진심으로 사랑하고 이해하는 사람들은 절대 비웃거나 무시하지 않는다. 사실 그 외 사람들은 지나치게 신경쓸 필요가 없다. 참고로만 생각해야 한다.

획일적인 잣대를 들이대는 세상으로부터 벗어나 자유를 누려보는 것은 어떨까?

자신이 좋다고 생각하는 것은 거리낌 없이 말하고 과감히 행동으로 옮겨보자. 그 결과가 어떻든 도전한 경험은 훗날 인생의 밑거름이 된다.

상대방의 시선이나 상대방의 입장만 생각하지 말고, 자신만의 관점을 갖고 자신을 우선으로 생각하며 살아야 한다. 자신의 의견이나 감정을 참고 참다가 후회하는 것만큼 안타까운 일은 없다.

너무 조심조심 살지 마라. 한 번뿐인 인생, 좀 제멋대로 살면 어때서!

살짝
건방진 태도가
더 낫다

근거 없는 불안감보다는
근거 없는 자신감으로 살아야 운과 기회가 따른다.

● 근거 없는 자신감 vs 근거 없는 불안감

얼마 전, 수많은 탤런트를 데뷔시킨 예능계의 천재 프로듀서가 텔레비전에 나와 흥미로운 이야기를 했다.

그가 볼 때 성공하는 사람들은 공통적으로 **'근거 없는 자신감'**을 갖고 있다고 말했다.

'왠지 난 할 수 있을 것 같아!'

'난 운이 좋으니까 잘될 거야!'

눈에 띄게 성장하는 사람들은 마음속으로 이렇게 생각한다는 것이다.

반면 언제나 제자리걸음인 사람들은 **'근거 없는 불안감'**을 안고 있다.

그런데 자신감이든 불안감이든 '근거가 없다'는 것이 문제이다.

근거가 명확하다면 그 근거를 무너뜨림으로써 자신감이나 불안감을 없앨 수 있지만, 근거 자체가 없다면 이런 감정을 제거할 방법이 없다.

한쪽 면만 보면 이렇게 생각할 수도 있다.

'어떻게 될지도 모르면서 무조건 할 수 있다니, 그건 그냥 허풍 아닌가?'

그러나 현실에서는 '근거 없는 자신감'을 지닌 사람일수록 성공할 확률이 높다.

신중하고 겸손한 태도를 미덕으로 여기는 사회에서는 자신의 실력을 과소평가하는 경향이 있어 그에 따라 자기 긍정감도 현저히 떨어진다.

자신이 이런 유형의 사람이라면 오히려 착각에 빠져 살짝 허풍을 떠는 편이 낫다고 말해주고 싶다. 그런 삶이 자유롭고 행복하게 사는 길이다. 그렇게 해야 마음속에서 긍정적인 감정이 일어나고, 결과적으로 더 나은 방향으로 나아갈 수 있다.

그 누구도 결과가 나오기 전까지는 정답을 알 수 없다.
시작하기 전에 아무리 열심히 그 답을 찾아도 얻을 수가 없다.
그렇다면 일단 해보고 좋은 성과를 내는 쪽을 택하면 되지 않을까? 그렇기에 때로는 '근거 없는 자신감'이 필요하다.

● 허세를 부려 셀프 이미지를 높여라

아직 경험이 적은 20대가 근거 없는 자신감을 지니기란 좀처럼 쉬운 일이 아니다.
이럴 때 유용한 것이 바로 '허세'다.

자신감을 북돋기 위한 첫걸음으로 '허세'를 부리는 것은 셀프 이미지를 높이는 데 상당히 효과적이다.
허세는 직장 생활을 할 때도 도움이 된다.
예를 들어 한 번도 해본 적 없는 업무라도 "선배님, 그 정도 일은 저 혼자 할 수 있습니다. 믿고 맡겨주십시오!" 하고 용기 있게 도전해 자신의 허들을 높여보자.

의식적으로 자신을 극한까지 몰아붙여 이를 뛰어넘음으로써 '뭐야, 하니까 되잖아'라는 자신감을 얻을 기회를 내 앞에 데려다 놓는 것이다.

자신감을 높이는 방법은 이처럼 의외로 간단하다.

만약 회사생활을 하면서 겸손을 가장한 자신감 없음으로 계속 쉬운 업무만 찾는다면 성장하기가 어렵다. 자신감을 얻을 기회조차 주어지지 않는다. 자신감은 그냥 생기는 것이 아니다. 성공과 실패라는 경험을 통과해야 비로소 얻을 수 있다.

자신감 없는 인생을 사는 것만큼 괴로운 일도 없다.

20대는 인생에서 한 번뿐이다. 허세 부리며 당차게 살아도 10년, 무난하게 살아도 10년이다.

자신감이 지나치면 호되게 당하는 일이 있을 수도 있다. 하지만 실패가 두려워 아무것도 시작하지 못하는 것보다 그것이 훨씬 낫다.

허세를 부려 자기 자신에게 시동을 걸고, 한껏 우쭐해졌을 때 콧대가 꺾이는 경험을 몇 번이고 겪어야 여유가 생긴다.

20대에는 '젊음'이라는 특권이 있다.

주변에서 바라보는 시선이 차갑지 않은 유일한 시기에 그때만 누릴 수 있는 특권을 누려보자.

잘못을 바로잡을 기회도 다른 나이대보다 많이 주어진다.

상대적으로 무거운 책임을 떠맡을 일이 많지 않은 20대에 이 점을 충분히 활용해야 한다.

우쭐해지거나 거만해도 괜찮은 나이라는 것을 잊지 말자.

20대, 자기만의 의미 있는 허세를 부려도 좋을 나이이다.

일단
말하고 보는
용기를 가져라

여러분을 힘들게 하는 사람은 친구나 동료가 아니다.
쉽게 물러나고 뒤에 숨어 있는 나 자신이다.

● 왜 벌써부터 겸손하고 싶을까?

20대가 지금보다 잘 나갈 수 있는 방법은 간단하다.
'일단 말하고 보는 습관'을 지니면 된다.

세상에는 '실력이 없는 사람'보다 재능이나 기술이 있어도
이를 '제대로 표현하지 못하는 사람'이 더 많다.

"그런 것도 할 줄 알아? 좀 더 빨리 말해주지 그랬어."

직장 상사가 이렇게 말할 때는 이미 다른 사람에게 기회가
넘어간 다음이다.

겸손이 지나쳐서 양보하고 사양하는 데 익숙한 유형의 사

람들은 으레 이렇게 말한다.

"제안할 내용이 있는데 상대방이 바쁠까 봐 연락을 못하겠어요."

"제가 먼저 요청하려니까 왠지 부끄러워서요……."

이런 사고방식은 필요 없는 미덕이요, 배려이다.

뒤로 숨지 말고 손을 번쩍 들고 "제가 해보겠습니다."라고 말해본다.

이 말을 듣고 누구에게 일을 맡길지는 상대가 결정할 문제이다. 무대 위에 오르지도 않고 선택받기를 바라는 것은 지나친 요행이다. 가만히 있으면 아무도 당신을 알아주지 않는다.

인생은 실력이 있고 없고가 아니라, 자신의 실력을 다른 사람에게 제대로 표현할 수 있느냐 없느냐에 따라 결정된다. 20대의 실력차는 크지 않다. 누가 표현하느냐의 경쟁이다.

● **쉽게 물러나 뒤에 숨어버리는 나**

실력을 갈고닦는 일은 상당히 중요하다.

어느 정도 실력을 갈고닦았다면 자신의 실력을 다른 사람에게 어필하는 연습도 해야 한다.

여러분을 힘들게 하는 사람은 동업자나 동료가 아니다. 쉽게 물러나고 뒤에 숨어버리는 '나 자신'이다.

"저는 이 일을 잘합니다. 제가 도울 일이 있을까요?"

이 말을 할 수 있느냐 없느냐에 따라 여러분의 미래가 크게 달라진다.

회사 임원들은 지금 이 시간에도 당당하게 말할 줄 아는 인재를 찾고 있다.

20대는 얌전히 뒤로 물러나 있을 나이가 아니다.

그저 '아, 또 주제넘게 나서버렸어' 하고 반성할 정도면 되지 않을까?

조금 극단적으로 말하면 무슨 일이든 뒤로 물러나는 습관이 쌓이면 평생 구석으로 떠밀려 살아야 할지도 모른다. '딱히 좋은 것도 나쁜 것도 없는 인생'으로 그칠 뿐이다.

앞으로 살아내야 할 긴 인생의 출발선에서 그런 선택은 여러분에게 도움이 되지 않는다.

'나의 도움이 필요한 일을 찾아 적극적으로 나서자.'

이것이 20대에 몸에 익혀야 할 중요한 습관 가운데 하나이다.

처음부터 잘될 수 없다고 생각하면 오히려 앞에 나서기가 쉽다. 밑져야 본전이고 잘되면 횡재라고 생각하면 어떨까? 그렇게 생각하면 하지 않을 이유가 없다.

뭔가를 시작하기 전에 이렇게 세 번 소리 내서 말해본다.

'말하는 일에는 돈이 들지 않는다. 오늘도 말해놓고 보자.'

분명 생각지도 못한 기회가 당신의 문을 두드릴 것이다.

**20대는
자신만의
스토리를
만드는 나이다**

20대에 겪은 수많은 실패들은 인생의 소중한
이야깃거리로 다시 태어나 여러분을 지켜준다.

● **한 번에 성공하고 싶어도 참는다**

"도전하는 사람이 성공한다."

"젊을 때는 일단 행동하라!"

"행동이 변화를 일으킨다."

20대들은 경험 많은 사람이나 연장자들이 이렇게 말을 하면 의미심장하게 고개를 끄덕인다. 그러나 첫발을 내딛거나 일단 행동하는 것은 말처럼 쉬운 일이 아니다.

많은 사람이 머리로는 도전해야 한다고 생각하면서도 행동 앞에서는 우물쭈물한다. 그 순간에 온갖 핑계들이 머릿속을 떠돌아다니면서 곧 그것에 압도되고 만다.

왜 알면서도 행동하지 못하는 것일까?

그 이유는 간단하다.

첫째, 실패할까 봐 두렵기 때문이다.

둘째, 한 번에 성공하고 싶기 때문이다.

연봉이 높은 유명 야구 선수의 타율은 보통 '3할'이다. 3할은 공을 열 번 쳐서 세 번 정도 성공한다는 뜻이다. 그들은 그 세 번을 위해 매일 훈련하고, 그 세 번의 꾸준함으로 최고의 자리에 앉는다.

우리에게도 '3할'만 있으면 된다. 그 안에는 일곱 번 실패도 포함된다.

'아이고, 이번 생은 망했네'라고 느껴지는 일들이 앞으로 수도 없이 찾아올 것이다.

당신은 한 번의 실패 앞에서 **'난 실패했어. 이제 다 틀렸어'** 라고 생각하며 다시는 시도하지 않는 사람인가? **'어떻게 하면 다음에 잘할 수 있을까?'**라고 생각하며 다시 도전할 준비를 하는 사람인가. 도전하면 일곱 번을 실패하는 것이 아니라, 세 번을 성공할 수 있다. 세상은 당신의 '3할'을 기억한다.

역전의 프로들도 실패를 각오하고 도전하는데, 이제 시작하는 사람이 한 번도 실패하지 않으려고 발버둥치는 것은 이치에 어긋나는 일이다.

만약 그런 생각을 하고 있다면 앞으로도 도전하기는 힘들다. '언젠가는 도전할 거야'라는 생각은 스스로를 위안하는 도구일 뿐이다.

● 실패하면서 이야기를 모은다

직장 상사나 여러분의 멘토, 사회에서 크게 주목받는 사람들도 처음에는 모두 초보였다. 이 사실을 가능한 빨리 깨달아야 한다.

그들의 눈부신 성과 뒤에는 뼈아픈 실패를 딛고 일어나 다시 도전한 이야기가 무수히 숨어 있다.

한두 번 실패하는 것은 지극히 당연한 일이다.

실패를 각오하고 일단 도전하자. 도전해보아야 고칠 것이 생기고, 그래야 경험과 이야기가 쌓인다.

실패하고 도전하기를 반복하는 시간 속에서 내가 나다워지는 것이지 있는 그대로 가만히 있는다고 나다운 것이 만들어지지 않는다.

성공을 위한 도전에는 실패가 따르는 법이다. 성공의 성패는 '도전' 자체가 아니라, '실패한 다음'에 판가름 난다.

한숨짓고 주저앉아 있을 것인가, 용감하게 도전한 자신을 칭찬하고 그 실패로부터 무언가를 배울 것인가. 어느 쪽을 선택하느냐에 따라 인생의 그릇이 달라진다.

실패하지 않으려고 애쓰지 말고 "실패해도 괜찮아. 일단 해보는 거야"라고 소리 내어 말해보자.

그것만으로도 마음이 한결 가벼워진다.

실패보다 무서운 것은 실패할까 봐 지레 겁먹고 앞으로 한 발짝도 나아가지 못하는 마음이다.

'나는 앞으로 얼마나 더 많은 실패를 경험할 수 있을까?'

이런 마음으로 20대를 보낸다면 대성공이다.

20대에 겪은 수많은 실패들은 인생의 소중한 이야깃거리로 다시 태어난다. 성공한 사람 중에 이야기 없는 사람은 거의 없다. 그들은 자기만의 이야기를 가지고 있다.

**플러스
사고방식으로
생각하라**

어떤 문제의 부정적인 측면 뒤에 감춰진
긍정성을 발견하는 능력이 필요하다.

● 문제에서 좋은 것을 발견하는 능력

무슨 일이 생겼을 때 깊이 생각하지 않는 사람들이 있다.

그들은 "난 낙관적인 사람이거든", "너 너무 깊이 생각하는
거 아니야?"라고 말한다.

그런데 20대에 이런 말을 한다면, 그는 낙관적이라기보다
만사태평한 사람이다.

아직 잘 보이지 않을 수도 있지만 잘나가는 친구도, 유수의
대기업 사장이나 성공한 연예인 모두 저마다의 고민거리를
안고 있다.

그런데 그들은 계속 고민만 하는 사람일까, 고민에서 벗어

나려는 사람일까? 또 이 두 부류는 구체적으로 무엇이 다를까? 이 둘의 차이는 눈앞에 벌어진 사건이나 일에서 좋은 부분을 찾느냐 그렇지 못하느냐에 있다.

이것이 '플러스 사고방식'이다. 성공하는 사람만이 지닌, 고민에서 벗어나는 능력이다.

무슨 일에든 긍정적인 측면과 부정적인 측면이 있다. **플러스 사고방식이란 '문제가 생겼을 때 부정적인 측면 뒤에 감춰진 긍정적인 부분을 발견하는 능력'이다.**

● **고민하는 횟수가 늘수록 강해진다**

만사태평한 사람과 플러스 사고방식을 가진 사람은 종이 한 장 차이이다. 이 둘은 구별하기 어려울 수도 있지만 엄연히 다르다.

무슨 일이든 깊이 생각하지 않는 사람, 즉 태평한 사람의 주변 환경은 조금 다르다. 우선 그들은 주변 사람들의 지나친 보호를 받는다. 보호받고 있기 때문에 태평스러울 수 있는 것이다. 온실 속의 화초나 다름없다.

이런 사람들은 주변에서 도와줄 수 없거나 혼자가 되었을 때 쉽게 무너지고 만다.

주변에 의존하는 마음은 어떤 의미에서 큰 도박이다.

'이 사람과 결혼하면 행복해질 거야.'

'이 회사에 들어가면 평생 안정적으로 살 수 있을 거야.'

'무슨 일이 생기면 가족이 도와주겠지.'

이는 매우 안이하고 시대에 뒤떨어진 생각이다.

이렇게 남에게 의존하는 삶은 일이 뜻대로 되지 않았을 때 상대방을 탓할 가능성이 크다.

'부모님이 나한테 해준 게 뭐가 있지?'

'나는 왜 이렇게 인복이 없을까?'

진정한 플러스 사고방식이란 주변에 좌지우지되지 않고, 어떤 환경 속에서도 자기 스스로 선택해나가는 능력이다.

이 능력을 키우면 어떤 상황에 놓이더라도 자신의 주관대로 살아갈 수 있다.

지금 어떤 문제로 고민하고 있다면 고민하는 횟수만큼 문제의 긍정적인 측면을 발견할 기회를 얻는 셈이다.

팔 굽혀 펴기를 하면 근력이 강해지듯, 부정적인 측면을 긍정적인 측면으로 받아들이는 훈련을 거듭하면 마음의 근육도 단단해진다. 열심히 고민함으로써 강인한 정신력을 다질 기회를 얻을 수 있다.

고민하는 횟수가 늘수록 플러스 사고방식은 더 강해진다.

살아가면서 만나는 수많은 문제들을 '플러스 사고방식'으로 다룰 수 있다면 적어도 불안하지 않다. 또한 부모나 형제를 탓하며 인생을 낭비하지 않는다. 주변 사람들이나 환경에 자신의 행복을 맡기지 말고 진정한 '나'를 만들어가자. 고민과 문제점을 도약의 기회로 바꿀 줄 아는 것이 진짜 능력이다.

**도약은
위기에서
시작된다**

지나온 위기들을 하나씩 연결해보자.
벼랑 끝에 몰렸던 그 상황들은 모든 일의 시작이 된다.

● **위기는 신의 시험이다**

'일을 망쳤다.'

'예상치 못한 불행이 덮쳐 왔다.'

'자신감이 짓밟히는 일이 있었다.'

이럴 때 그 심정은 이루 말할 수 없이 괴롭다.

이런 힘든 시기야말로 도약의 출발이 될 수 있다.

나는 현재 도쿄에서 출판사를, 규슈에서 음식점을 운영하
고 있다.

지금은 이렇게 책까지 쓰고 있지만, 20대 중반에는 세 평

짜리 다코야키 노점상 주인이었다.

나의 20대는 실패투성이였다. 누군가 이렇게 생각할지도 모른다.

'실패투성이 노점상 주인이 어떻게 20대를 대상으로 한 책을 쓰고 있는 거지?'

지금부터 '위기가 도약의 시작'이었음을 증언해줄 나의 이야기를 들려주고자 한다.

● 나의 20대 위기 이야기

나는 4대째 장사를 하는 집안에서 태어났다.

증조부는 게다(일본식 나막신-역주) 도매상이었고 조부는 슈퍼마켓을, 부모님은 기념품점을 운영했다. 다들 일하느라 바빴기 때문에 나는 집에 가도 "밖에서 놀다 와"라는 말과 함께 쫓겨나기 일쑤였다.

나의 유일한 놀이터는 집 앞의 상점가였다.

'집에는 내가 있을 곳이 없어.'

지금 생각해보면 그때가 내 인생의 첫 번째 위기였다.(위기 1)

어쩔 수 없이 시간을 때우려고 근처 다코야키 가게에 드나들다가, 가게 아주머니 눈에 들어 열 살 때 본격적으로 가게 일을 돕기 시작했다.

나는 곧 친한 친구를 불러서 "어른이 되면 우리 둘이 꼭 다코야키 가게를 차리자" 하고 약속했다.

그 후 인맥을 쌓기 위해 도쿄에 올라가기로 마음먹었다.

하지만 그 친구는 내가 상경하기 전 심장병으로 갑자기 세상을 떠났다.(위기 2)

학생 때 알고 지낸 지인의 소개로 도쿄의 어느 출판사에 입사했다.

나는 그 회사의 고객으로 만난 일본 최고의 소스 제조사 '오타후쿠 소스' 대표에게 다코야키 전문점 '긴다코'의 사장을 소개받았다. 그는 내 패기를 높이 평가하여 나를 본부 직원으로 채용했다.

1년 반에 걸친 연수를 마치고, 스물여섯 살 때 고향 나카쓰시에 '덴마데토도케'라는 다코야키 가게를 열었다. 경영은 생각만큼 쉽지 않았다.(위기 3)

재정이 어려워져 직원들에게 월급을 주기 힘들었고, 이

사회생활을 하기 전에

것을 극복하기 위해 노점상을 시작했다. 그렇지만 직원들의 불만은 갈수록 높아졌고, 나는 갈피를 잡지 못한 채 방황했다.(위기 4)

그러던 어느 날, 할아버지의 유언에 따라 가고시마 현의 지란이란 곳을 찾았다. 난 그곳에서 '앞으로 직원들을 위해 살겠다'고 결심했다.

먼저 직원들이 집에서 통근할 수 있도록 2년간 이어온 다코야키 노점상을 접었다.

스물여덟 살에는 4,000억 엔의 빚을 지고(위기 5) 고향에 '히나타야'라는 대형 음식점을 열었다.

하지만 개점 한 달 전 이미 직원들의 절반 이상이 회사를 그만둔 상태였다.(위기 6)

대형 음식점을 운영해본 경험이 없어 시행착오를 거듭하면서 '찾아주신 손님에게 감동을 주고 직원들이 웃으면서 오래오래 근무할 수 있는 가게를 만들자!'라고 마음먹었다. 또 생일 축하 이벤트를 운영한 결과 입소문만으로 연간 약 3,000건의 예약이 들어왔다.

이 이벤트는 점차 웨딩 비즈니스로 발전했다.

우연히 어느 결혼식장에서 도쿄 소재 출판사의 편집국장을 만났고, 책을 내보지 않겠냐는 그의 제안에 따라 첫 책을 출간했다.

'나는 지방 출신이라서 도시 사람들만큼 다양한 기회를 잡기가 힘들다.(위기 7) 내 힘으로 인맥을 만들려면 세상에 과감히 뛰어들어야 한다'라는 생각으로 비즈니스를 위한 인맥 기술을 고안해오던 나는 스물아홉 살 때 일본 최고의 사업가라 불리는 인생의 스승을 만났다.

운 좋게 그에게 개인 코칭을 받았고, 그 덕분에 내 인생은 540도 달라졌다.

"관광 명소처럼 전국에서 수많은 사람이 일부러 찾아오는 가게를 만들게."

스승의 말에 '어떻게 하면 이 작은 시골 마을에서 더 많은 사람을 기쁘게 할 수 있을까?'라고 고민했고(사람들이 좀처럼 오지 않는 시골이 아니었다면 이런 고민도 하지 않았을 테니까 이 또한 **위기 7**), 전국에서 찾아오는 손님에게 무료로 비즈니스 코칭을 해주기 시작했다.

강연회 후에 이어진 회식 자리에서도 '찾아온 분들의 성공을 위해 마지막까지 함께 하자'라는 마음으로, 다음 날 아침까지 쉬지 않고 코칭을 했다. 그러자 입소문을 타고 전국에서 수많은 젊은이들이 가게로 몰려들었고 코칭 활동은 어느새 또 다른 비즈니스로 성장했다.

한편 책을 집필할 때마다 도쿄를 오가는 것은 보통 힘든 일이 아니었다.(위기 8) 이 때문에 '가능한 우리 손으로 책을 만들자'라고 생각하고 하나씩 실현해나갔고 어엿한 출판사가 탄생했다.

자사에서 직접 책을 내기 시작하자 판매에도 속도가 더 붙었다.

내가 쓴 책의 판매량이 누적 70만 부를 넘어섰고, 출판 기획물은 40편을 달성했다. 또 일본 최대 컨벤션 센터인 마쿠하리 멧세에서 6,000명을 대상으로 진행한 강연도 성공적으로 끝마쳤다.

2015년 7월, 인생의 절정이라 할 수 있는 마흔에 접어들었을 때 세상에서 가장 사랑하는 어머니가 암에 걸렸다.

어머니의 투병 생활과 죽음을 지켜보면서(인생 최대의 **위기** 9) 소중한 사람을 지키기 위해서는 돈이 필요하다고 느꼈다. 돈을 벌기 위해서는 제대로 된 비즈니스 모델이 시급했다.

2017년, 비즈니스 모델을 구축하기 위해 규슈에서 일본의 정보 발신지인 도쿄로 사업 거점을 옮긴 뒤 본격적으로 비즈니스 코칭, 출판, 브랜딩 컨설팅 등의 사업을 시작했다.

이와 동시에 인재육성 기관인 '나가마쓰 학원'을 세웠다.

2020년, 이제까지 쌓아온 집필 경력과 기획 능력을 바탕으로 도쿄 아자부에 출판사를 설립했다.

'자, 이제부터 사업가로서 제2막을 시작하는 거야.'

새로운 시작에 설레던 2020년 봄, 코로나19 사태가 발발했다.(**위기 10**)

현재 계획을 조정하며 고군분투하고 있다.

그 밖의 작은 위기들은 셀 수 없이 많지만 내 인생을 바꾼 대표적인 위기는 대략 이 정도다. 돌이켜 보면 벼랑 끝에 몰렸던 상황은 모든 일의 시작점이었다.

처한 상황이나 환경은 달라도 이 책을 읽고 있는 여러분도 다르지 않을 것이다.

'아, 끝이구나'라고 체념할 때가 사실은 끝이 아니라 시작이다.

여러분도 지금까지 겪은 '위기 베스트 10'을 작성해보자. 놓치고 있던 많은 것들이 보이기 시작할 것이다.

'20대를 어떻게 보내면 좋을까?'
그 해답을 찾고 있는 사람들에게 이 책을 권한다.

제2장

20대의 인간관계

홀로 당당해져야 할 때

twenties

눈치 보는 시간에 손을 번쩍 들어라

지금이라도 남의 지시와
허락을 구하는 습관에서 벗어나야 한다.

● **당신의 마음까지 허락받겠습니까?**

여러분은 말할 기회가 주어졌을 때 주변을 의식하는가,
아니면 다른 사람의 시선을 신경 쓰지 않고 당당히 손을 드
는가?

세미나나 강연을 진행하다 보면 다음 두 가지 유형의 사람
들이 보인다.

'자신의 의지 대로 행동하는 사람'

'허락을 구하는 습관이 몸에 밴 사람'

많은 사람이 주변 반응을 보고 나서 자신의 행동을 정하는

습관에 젖어 있다. 누군가가 손을 들면 그제야 주춤거리며 손을 드는 사람이 얼마나 많은가.

실제로 개인 면담을 진행해봐도 "네? 남의 눈치 보느라 제대로 말도 못했다고요?" 하고 놀라는 경우가 더러 있다.

하물며 대화를 하며 마음속 장벽을 하나씩 허물어 갈 때조차 그들은 "정말, 그렇게 해도…… 되나요?" 하고 또 허락을 구하곤 한다.

● **기다리지 말고 그 전에 움직여라**

남의 지시를 받아야 마음이 편한 사람들이 많다. 여기에는 이유가 있다.

어릴 적부터 주변 사람들에게 "이렇게 해도 되나요?" 하고 묻는 버릇이 무의식중에 생겨버린 것이다.

이에 반해, 마음 가는 대로 자신의 의지에 따라 행동하는 사람은 결과적으로 이득을 보는 경우가 많다.

사람들 대부분이 머뭇거리는 동안 발 빠르게 행동하므로 이득을 보는 것이 어쩌면 당연한 일이다.

어린 시절부터 남의 지시에 따라 움직이다 보니 남들에게 허락을 구하는 습관이 익숙하다면 지금부터라도 그 습관에서 벗어나야 한다.

장담하건대 그러는 편이 훨씬 더 즐겁고 편한 인생을 보낼 수 있다. 앞으로 10년이 중요하다.

● 고민은 달리면서 해도 충분하다

'나의 의사를 분명히 밝힌다.'

'손을 번쩍 들고 앞으로 나간다.'

나에게 용기가 필요한 일은 다른 사람에게도 용기가 필요한 일이다.

나에게 쑥스러운 일은 다른 사람에게도 쑥스러운 일이다.

나에게 어려운 일은 다른 사람에게도 어려운 일이다.

사람의 마음 크기는 크게 다르지 않다.

'사람마다 성격이 다르므로 행동도 다르다'라는 생각은 잘못된 개념이다. 성격이 아니라 경험치가 다를 뿐이다.

여러분이 뒤에서 머뭇거릴 때 거침없이 앞으로 나가는 사람은 용감해서가 아니다.

여러분보다 '먼저' 앞으로 나갔을 뿐이다.

여러분보다 '먼저' 용기를 냈을 뿐이다.

시작은 누구나 다 똑같다.

물론 자신의 의지에 따라서만 살다 보면 다른 사람들에게 혹독한 평가를 받을 수도 있다. 또 기대한 만큼 결과가 나오지 않을 때도 있다.

하지만 인생에서 어려움과 고통을 겪는 것은 당연하다.

이 진리를 받아들이는 순간, 기존의 틀에서 벗어나 한층 더 자유로워질 수 있다.

'내가 정말로 하고 싶은 일은 무엇일까?'

모든 것을 잠깐 멈추고 이런 질문을 한다는 것은 자기 자신을 의식하기 시작했다는 증거다.

자의식이 없는 사람은 아무도 없다. 본심이 없는 사람도 없다.

이제까지 당연하다고 여겨온 상식 뒤에 감춰져 있을 뿐이다.

때로는 자신의 감정을 우선시해도 된다.

좀 더 주체적으로 자신의 의지대로 행동해도 된다.

'스스로 행동하는 힘'이 필요하다.

이루고 싶은 것이 있다면 일단 한 발을 내딛는 적극성을 갖도록 하자. 고민은 달리면서 해도 충분하다.

**스스로
행동하는 힘을
키워야 한다**

자기 힘으로 무언가를 손에 넣었을 때
느끼는 만족감은 크다.

● **행동하지 않으면 성공할 수 없다**

성공하는 사람들에게는 공통점이 있다. 그들에게는 남다른
행동력이 있다.

그들은 '스스로 행동하는 힘'을 갖고 있다.

원하는 것을 얻거나 변화를 주도하고 싶을 때, 혹은 주도권
을 갖고 싶을 때 가만히 앉아서 기다리지 않고 그것을 실현
하기 위해 위험 속으로 뛰어든다. 이런 사람은 남들보다 앞서
나갈 수밖에 없다.

주변에서는 이렇게들 말한다.

"행동력이 대단하시네요."

그러나 정작 본인은 '갖고 싶어서 직접 가지러 갔다', '필요하니까 했다' 하고 단순하게 생각할 뿐, 무슨 대단한 동기를 갖고 있는 게 아니라고 말한다.

그런 만큼 자기 힘으로 무언가를 손에 넣었을 때 느끼는 만족감은 상당히 크다.

그 성취감을 알기 때문에 계속해서 도전한다.

그런 사람들은 오히려 자발적으로 행동하지 않는 사람들을 보고 더 의아해한다.

스스로 행동하지 않는 사람은 무엇을 두려워하는 것일까?

자존심이 다치거나 다른 사람에게 손가락질당할까 봐 겁나는 것일까? 아니면 이목을 끌어 더 많은 일을 하게 될까 봐 두려운 것일까?

몇 번을 실패해도 괜찮은 20대, 아무 일 없이 무난하게 보내기에는 너무 아까운 시간이다.

● **수동적으로 살 것인가, 능동적으로 살 것인가**

스스로 행동하는 것, 즉 주체적으로 사는 것이야말로 자신의 의지로 인생을 개척해나가는 길이다.

세상에는 '수동적인 사람'과 '능동적인 사람', 이렇게 두 가지 유형의 사람이 있다.

이 둘의 차이는 무엇일까?

먼저 '수동적인 사람'의 특징이다.

· 날씨나 주변 사람들의 말에 쉽게 흔들린다.

· 매스컴이나 인터넷 등의 정보에 잘 휘둘린다.

· 안 좋은 일이 있으면 상대방을 탓한다.

· 늘 불평불만에 가득 차 있다.

· 감정 기복이 심하다.

· 부정적인 말을 자주 한다.

· 다른 사람에게 의존한다.

· 다른 사람이 뭔가를 해주기를 기다린다.

'능동적인 사람'은 어떤 특징을 지녔을까?

· 비가 오나 눈이 오나 늘 활기 넘친다.

· 매스컴이나 인터넷 등의 정보에 휘둘리지 않고, 자신의 가치관대로 판단한다.

· 안 좋은 일이 있어도 다시 일어나서 걷는다.

· 어떤 결과든 다른 사람 탓으로 돌리지 않는다.

· 좋은 의미에서 '남은 남이고 나는 나'라고 생각한다.

· 항상 기분이 좋다.

· 긍정적인 말을 자주 한다.

· 다른 사람에게 의존하지 않는다.

· 자기 힘으로 인생을 개척해나간다.

어느 쪽이 인생을 더 자유롭게 살지는 명백하다.

자신에게 어떤 일이 일어나는지에 집중하지 말자. 인생을 능동적으로 살 것인가, 수동적으로 살 것인가에 따라 인생은 크게 달라진다.

자유로운 인생을 선택할 권리는 다른 누구도 아닌 바로 자기 자신에게 있다.

● 편리함과 일부러 거리를 둔다

그냥 시키는 일만 해도 다달이 월급은 들어온다.

굳이 애인을 사귀지 않아도 헛헛한 마음을 채울 방법은 많다. 스마트폰으로 누구와 언제든지 연락을 주고받을 수 있다.

이처럼 세상이 너무 편리해진 나머지, 인간의 본성인 수렵 본능을 지켜나가기 힘든 시대가 왔다.

문제는 사용하지 않는 근육이 점차 약해지듯, 아무것도 하지 않고 나이만 먹으면 행동력이나 실천력이 녹슬어 버린다는 점이다.

그렇게 되면 사람은 결국 수동적으로 변한다. 시대의 흐름에 이리저리 휩쓸리며 불합리한 명령에도 꼼짝없이 따르는 사람이 되고 만다.

실천력이 없으면 뭔가 잘되어도 '실패도 없고 얻는 것도 없는 인생'으로 그친다.

한 번밖에 없는 나의 20대.

이루고 싶은 것이 있다면 일단 한 발을 내딛는다.

한눈팔지 말고 목표를 향해 나아가는 것이다.

목표를 달성하는 방법은 달리면서 고민해도 충분하니까.

성공 확률은
도전하는
횟수와
비례한다

인간은 경험을 거듭할수록 능숙해진다.
남들보다 경험 횟수를 올리는 것이 유리하다.

● 도전하고 싶은 느낌만 갖고 싶을 때

무언가에 도전하여 실패한 경험이 있다면 성공할 가능성
이 더 커진다.

왜냐하면 그것은 행동으로 옮겼음을 의미하기 때문이다.

행동하지 않는 사람은 비난받을 일도 없지만 칭찬받을 기
회도 없다. 머지않아 사람들의 기억 속에서 잊힐 뿐이다.

행동하는 사람은 실패도 많이 하지만 그만큼 높이 평가받
을 기회도 많이 얻는다.

다시 말해 그들은 '늘 타석에 서 있는 상태'이다. 타석에 서
있는 사람에게 기회가 더 많은 것은 당연하다. 타석 주변에만

어슬렁거리는 사람들에게 기회는 주어지지 않는다.

타석에 서서 배트를 휘두르는 사람, 즉 행동하는 사람만이
안타나 홈런을 칠 수 있다.

세상에는 타자 대기석이나 벤치에 앉아서 "저 투수는 이런
식으로 던진다니까", "저 타자는 왜 저렇게 못 치는 거야?"라
며 도전하는 이들을 이러쿵저러쿵 평가하는 사람들이 있다.

**그들은 어쩜 평생 벤치에 앉아 남의 도전이나 실패를 평가하
는 일에만 매진할 것이다. 그런 사람들의 말에 휘둘릴 필요는 없
다. 그들은 도전하는 느낌만 즐기고 있을 뿐이다. 도전해서 성공
해본 사람들은 그런 평가를 하지 않는다. 그들은 여러분의 도전
을 먼저 응원하고, 조언도 조심스럽고 아주 구체적으로 한다.**

인생 선배들의 조언을 듣는 것은 타석에서 안타를 치기 위
한 힌트를 얻는 일이다.

타석에 섰을 때 '**헛스윙을 쳐도 괜찮아. 어쨌든 한 번이라
도 더 타석에 서야 해**'라고 생각할 수 있는 용기가 여러분을
눈부신 미래로 이끌어줄 것이다.

● 거듭할수록 능숙해진다는 진리

운은 타석에 선 횟수에 비례한다.

20대에는 타석에 얼마나 많이 서느냐가 무엇보다 중요하다. 안타나 홈런을 치는 횟수를 의미하는 것이 아니다. 타율은 그다음 문제다.

타석에 많이 설수록 가산점이 붙는다.

아무리 서툰 사람이라도 타석에 서는 횟수가 늘어나면 타율도 자연히 높아진다.

왜 그럴까?

타석에 열 번 서서 안타를 한 번 친다고 가정해보자. 이 경우에 타율은 1할이다.

타석에 천 번 선다면 어떨까? 타율이 1할이므로 안타를 백 번 칠 수 있다.

인간은 경험을 거듭할수록 능숙해진다.

천 번 치는 동안 요령이 생겨서 1할이었던 타율이 2할, 3할까지 올라간다. 언젠가 홈런도 칠 것이다.

우리는 그날을 위해 꾸준히 타석에 서야 한다.

도전하고 성공해본 사람들의 조언을 듣는 것은 타석에 서기 위한 준비이자, 공부이다.

● 그나마 책임이 적을 때 움직여라

도저히 타석에 설 용기가 생기지 않는다면 공짜 복권을 긁는다고 생각하면 어떨까?

아무리 운이 없는 사람도 계속 시도하면 언젠가는 복권에 당첨된다.

20대가 도전하지 않는다는 것은 눈앞에 있는 공짜 복권에 손도 대지 않는 것이나 마찬가지다.

왜 20대에 복권을 긁어야 할까?

나이가 들면서 복권을 긁을 기회가 줄어들기 때문이다. 복권을 긁고 난 뒤의 책임도 그만큼 커진다.

그러므로 실패해도 용납이 되는 20대에 그 기회를 잡아야 한다. 20대는 그나마 책임도 적다.

마음껏 도전할 수 있는 20대에 복권을 몇 장이고 긁어두자. '꽝'이라고 해서 비웃을 사람은 아무도 없다. 오히려 여러분의 도전에 기꺼이 박수를 보낼 것이다.

원하는 일을
최대한
빨리 할 수 있는
방법

'하기 싫은 일'을 하지 않기 위해서는 그 일을 해보아야 한다.
그래야 '하고 싶은 일'을 할 수 있는 힘이 생긴다.

● 20대에 원하는 일을 할 수 있을까?

'하고 싶은 일을 하자'

요즘 우리 사회에서 널리 유행하는 말이다.

이 말을 뒤집으면 **'하기 싫은 일은 하지 마라'**라는 뜻이
된다.

회사를 그만둔다. 사회적 책임을 벗어던진다.

왜냐하면 회사에서 하는 일은 내가 하고 싶은 일이 아니
니까.

이러한 발상은 이제 막 사회에 나온 20대에게 어떤 영향을
미칠까?

어쩌면 일을 내팽개칠 구실을 제공할지도 모른다.

하고 싶은 일만 할 수 있는 삶이 있기는 한 것일까?

하고 싶은 일을 하고 있고 자기 꿈을 이뤄도, 그 안에는 하고 싶은 일보다 하기 싫은 일이 훨씬 더 많다. 그것이 '일'이다.

또한 어떤 조직이든 자기가 좋아하는 일을 하는 사람이 있는가 하면, 자신을 희생하면서 원치 않는 일을 하는 사람도 있다. 이것이 사회생활의 현실이다.

그런데 사회생활을 할 때 '해야 할 일'은 하지 않고 '하고 싶은 일'만 하면 주변의 눈총을 받게 된다.

보통 조직에서 업무를 결정하는 사람은 상사이다. 상사의 결정에 따라 자신이 원하는 일과 동떨어진 업무를 맡을 수도 있다.

좋아하는 일만 찾다가는 이런 말을 듣게 될지도 모른다.

"회사가 놀이터야? 싫으면 그만두던가."

● 일단은 주어진 일을 해보는 나이

직장인들의 불만은 대체로 다음 세 가지가 주를 이룬다.

"연봉이 낮아요."

"휴가가 적고 근무 환경이 별로예요."

"인사 평가가 불공평해요."

회사가 직원의 권리를 보장해주어야 한다는 점에는 모두 공감할 것이다.

그런데 이제 막 직장생활을 시작한 20대가 하고 싶은 일을 맡을 수 있을까? 그들은 조직에서 대부분 가장 낮은 위치에서부터 출발한다. 실적을 쌓고 경쟁에서 이겨 위로 올라가야 비로소 '하고 싶은 일'을 할 수 있다.

따라서 20대에는 하고 싶은 일을 고집하기 전에 우선 '주어진 일'에 최선을 다해야 한다. 그것이 '하고 싶은 일'을 할 수 있는 유일한 방법이다.

그러는 사이 자신도 몰랐던 소질을 발견하고 새로운 목표를 찾을 수 있다.

이 사회에는 근속연수와 나이에 따라 연봉과 승진이 정해지는 등 보이지 않는 서열이 여전히 존재한다.

그래서 사회에 나온 지 얼마 되지 않은 풋내기가 아무리 훌륭한 제안을 해도 귀 기울여 듣는 상사는 열에 하나도 없다. 그 열에 하나도 잘 듣기만 할 뿐 실제 일에 반영하지 않는다.

마치 서열이 분명한 군대처럼 엄격한 세계다.

어쩌면 20대는 사회가 얼마나 혹독하고 모순으로 가득 차 있는가를 배우는 시간일지도 모른다.

● 시대가 바뀌어도 변하지 않는 모순

사회 모순에 일일이 맞서기보다는 '이런 일도 있구나' 하고 현실을 받아들이고 자신의 실력을 갈고닦는 데 시간을 투자하자.

20대는 자신이 정말로 하고 싶은 일을 할 수 있는 자리로 가는 과정의 시간이다.

실적과 경력이 하나씩 쌓일수록 사회는 여러분에게 더욱 친절해질 것이다. 분명 시간이 걸리는 일이다.

20대가 보기에 이 사회는 부조리로 가득 차 있다. 이는 30년 전이나 지금이나 크게 다르지 않다. 앞으로도 변하지 않는 것들이 있을 것이다.

도망치지 않고 이 현실을 받아들이는 사람은 여느 20대보다 현격히 앞서 나간다. 이 또한 변하지 않는 진리다.

'잠시 손해를 보더라도 훗날 큰 이익을 기다리는 편이 낫다'는 말처럼, 젊을 때 자신에게 주어진 일을 얼마나 열심히 하느냐는 미래의 그릇을 결정하는 중요한 요인 가운데 하나다.

하기 싫은 일을 피해 도망치는 것은 임시방편에 지나지 않는다. 도망쳐서 얻은 '편안함'은 언젠가 자신의 발목을 잡는다.

성공한 사람들 중에 나쁜 상사의 전형을 보여주는 사람 밑에서 일해봤거나, 경제적으로 어려운 가정에서 냉혹한 현실을 맛보며 자란 사람이 많다.

그들은 불합리한 세상을 몸소 겪었다. 그 경험들은 사회 부조리나 모순에 대한 자기만의 해석 능력을 키우도록 해준다. 그 능력은 남들의 말에 휘둘리지 않은 '중심'을 갖는 힘이다.

즉 어지간한 일로는 주저앉지 않으며 사사건건 트집을 잡지 않는, 너그럽고 도량이 큰 사람으로 거듭나게 한다.

성공하는 사람은 자신이 '해야 할 일'을 가장 먼저 처리한다.

그런 다음에야 '하고 싶은 일'을 할 수 있다는 것을 알고 있기 때문이다.

그들은 경력을 쌓아 높은 직급에 오르고 충분한 소득을 얻으면 '자신이 하고 싶은 일'을 할 수 있을 거라고 합리적으로 사고한다.

나는 그 일에
얼마만큼
필사적인가

노력한 뒤에 자신이 정해놓은 목표를 달성하지 못한 것은
실패가 아니다. 당신이 노력한 시간과 땀은 어떻게든 꼭 돌아오니까.

● 어떤 형태로든 반드시 보상받는다

'노력은 반드시 보상받는다'라는 단순한 진리를 허투루 듣
지 말자.

아무리 노력해도 안 되는 일이 있다고 생각하는 순간에도
노력을 기울인 대가는 '어떤 형태'로든 반드시 얻을 수 있음
을 기억해야 한다.

자신이 원하는 것을 이루지 못했거나 열심히 했는데 일등
을 못했다고 해보자.

그것은 어디까지나 '일등을 하겠다'는 목표를 이루지 못했
을 뿐이다. 자신이 정해놓은 기준을 달성하지 못한 것일 뿐,

목표를 위해 최선을 다해본 경험과 실력을 얻는 것이다.

그러니 목표 지점을 멀리 잡으면 틀림없이 그 노력에 대한 보상을 누릴 수 있다.

● **성공한 사람의 정신력은 어떻게 다른가**

한 가지 물어보고 싶다.

"여러분은 시간 가는 줄 모르고 무언가에 몰두한 경험이 있는가?"

게임이나 일, 취미, 공부도 상관없다. 그런 것이 하나라도 있다면 여러분은 일류가 될 수 있다.

왜 그럴까?

여러분이 몰두한 그때가 바로 '일류의 정신력'이 발휘되는 순간이기 때문이다.

일류와 일류가 아닌 사람은 종이 한 장 차이다.

일류는 절망스러운 상황에서도 포기하지 않지만, 보통 사람들은 쉽게 그만둔다. 단지 이 차이밖에 없다.

'포기하지 않으면 어느 정도까지는 도달할 수 있다'라고 생각하느냐, '아무리 해봤자 소용없다'라고 생각하느냐의 차이다.

여러분이 무언가에 몰두하는 정신력을 끝까지 유지할 수 있다면 일류로 올라서기란 그리 어렵지 않다. 지금 당장 일류가 되지 못하는 것은 큰 문제가 아니다.

중요한 것은 '그 일에 얼마나 필사적인가'이다.

비록 자신이 하는 일이 하찮게 느껴지더라도 그것에 집중하고 필사적이어야 한다. 지속적으로 매달려야 한다.

도중에 그만두지 않고 힘겹게 고군분투한 경험은 언젠가 인생의 길잡이가 되어준다.

앞서 나가는 사람이나 성과를 내는 사람에게는 공통점이 있다.

자기 일에 집요하며 포기를 모른다는 점이다.

그 모습은 얼핏 보기에 고지식하고 서툴러 보일 수도 있다. 하지만 계속해내가면 서툰 모습은 서서히 사라진다.

그렇다! 포기하지만 않는다면 여러분은 인생을 살아가는 데 중요한 자산을 확보한 셈이다.

**네 가지
조바심을
버려라**

현실을 직시하여 이상과의 간극을 버리고
남과 비교하지 않으며, 목표를 '서른'으로 잡지 않는다.

● **20대가 늘 초조한 이유**

20대는 찬란하지만, 한편으로는 고뇌의 연속이다.

인생에 남은 시간이 충분한데도 왠지 모르게 초조하다.

나의 20대를 돌아봐도 그렇다.

또래 친구들이 하지 않는 다코야키 노점상에서 일해서 그
랬겠지만, 20대 시절 내내 마음속 어딘가에 불안이 늘 자리
잡고 있었다.

20대는 왜 초조한 것일까?

그 이유는 다음 네 가지로 정리할 수 있다.

첫째, 원하는 것이 있어도 다가갈 수 없기 때문이다.

사람은 자신의 이상과 현실 사이의 간극이 너무 클 때 초조해진다.

'대체 언제까지 노력해야 내가 하고 싶은 일을 할 수 있을까?'라고 생각하면 조바심이 나기 마련이다.

그러나 '이상'은 원래 쉽게 이룰 수 없는 것이다. 사회 구조도 그렇게 되어 있다.

그 구조를 뒤집는 것은 날씨를 바꾸는 일이나 다름없다. 헛된 일에 에너지를 쏟지 말고 20대에 자신이 원하는 것을 정확히 알고 있음을 자랑스럽게 여기기를 바란다.

기회는 누구에게나 반드시 주어진다. 그 기회가 올 때까지 자신의 실력을 잘 갈고닦자.

둘째, 하고 싶은 일을 찾지 못하기 때문이다.

하고 싶은 일을 찾지 못하면 미래가 불안하고 자꾸 조바심이 생긴다.

이럴 때는 **앞날을 불안해하지 말고 현재를 직시하는 태도**를 일관해야 한다.

보이지 않는 미래나 멀리 떨어진 이상을 불안한 마음으로 바라보아도 해결되는 일은 아무것도 없다. 그보다는 자신이 매일 일하는 현실과 일상을 똑바로 바라보아야 한다.

앞날은 알 수 없지만, 지금 내 앞의 현실은 볼 수 있다. 볼 수 있어야 한다.

사람은 초조할 때 현재를 제대로 보지 못하며, 보고 싶어하지 않는다.

그 조바심 때문에 자기 주변에 의외로 많은 것들이 숨어 있다는 사실을 전혀 알아차리지 못한다. 그러나 현재를 직시하면 의외로 많은 것들이 보인다.

예를 들어, 뛰어난 마케터는 현재를 직시할 줄 안다. 그래서 상품을 많이 파는 것도 중요하지만, 상품을 팔기 위한 기획력과 효과적인 진열 방식까지 생각할 줄 안다.

나아가 마케터의 업무가 자기 자신을 파는 일임을 이해하게 된다.

요컨대 현재 자기 눈앞에 있는 상황을 직시하면 당장 무엇을 해야 하는지가 명확해진다.

목표를 향해 조금씩 다가설수록 미래의 윤곽이 드러난다. 그러면 자신이 무엇을 하고 싶은지 어렴풋이 보인다.

그때야 비로소 조바심이 서서히 사라지는 것을 느낄 수 있다.

'나의 현재'를 똑바로 바라보아야 한다.

조급한 심정은 충분히 이해하지만, 보이지 않는 미래에 정신이 팔려 더 이상 불안을 키우지 말자.

셋째, 필요 이상으로 '서른'이라는 나이를 의식하기 때문이다.

많은 20대들이 목표를 세울 때 자기도 모르게 '서른'이라는 선을 긋는다.

"서른에는 결혼하고 싶다."

"서른에는 승진하고 싶다."

"서른에는 독립하고 싶다."

이런 목표들은 말하려 들면 끝이 없이 나온다.

20대들은 '서른'이라는 나이를 지나치게 의식한다.

'마흔'을 의식하는 30대보다 더 심한 강박 관념에 사로잡혀 있다.

'서른' 속에서 무언의 압박을 느낀다.

서른이 될 때까지 기반을 다져놓지 않으면 인생이라는 긴 경주에서 크게 뒤처질 것 같은 느낌이 드는 듯하다.

홀로 당당해져야 할 때

그런 감정이 드는 것은 당연하지만, 20대의 목표는 '서른'이 되면 안 된다.

목표 지점은 훨씬 더 먼 미래에 가 있어야 하지 않을까? 20대는 인생의 출발선에 서기 위한 준비 기간에 불과하다.

마라톤 선수가 이제 막 유니폼을 입고 지구력과 순발력을 기른 다음, 근육을 풀고 호흡을 가다듬으며 출발선을 향해 가는 시점이다.

20대에게 인생의 출발 신호는 아직 울리지 않았다.

이때 초조해하고 불안해하면 근육이 위축된다. 너무 힘이 들어가면 실력을 제대로 발휘할 수 없다.

그러므로 출발선에 서기 전에 기초 체력을 키우는 일에 집중해야 한다.

이 점만 유념하면 출발 신호가 울리더라도 허둥대지 않고 앞으로 달려 나갈 수 있다.

20대에는 출발선에 선다는 마음, 그리고 앞으로 달리기 위한 기초 체력, 이 두 가지만 기억하자. 이것은 살아가는 방식과 태도를 배우는 일이기도 하다.

넷째, 타인과 자신을 비교하기 때문이다.

사회에 나가면 이런저런 이유로 다른 사람과 비교를 하게 된다.

우선 학창 시절 친구들과 직업, 직장 규모, 연봉 등에서 확연한 차이가 생기기 시작한다.

회사 동료들 사이에서도 어떤 부서에 배치되느냐에 따라 비교하면서 서로 시기와 질투를 느낀다.

그런 점에서 유년 시절은 조금 낫다. 돈이 많고 적어서 생기는 괴로움이 상대적으로 적다. 필요하면 아르바이트를 해서 용돈을 벌어서 쓸 수 있다. 친구들과 자란 환경이나 취미가 달라도 크게 신경 쓰지 않고 잘 어울린다.

하지만 사회에 나오면 그렇지 않다. 연봉, 직장 규모, 직급 등이 적나라하게 드러나고 '비교'하는 마음이 커진다. 그 늪으로 빠져들어 걷잡을 수 없게 된다.

최악의 경우 다른 사람을 부러워한 나머지 자기 자신을 제대로 보지 못하는 상황에 이른다.

'능력만 보면 나도 뒤지지 않는데, 왜 나만 이렇게 하찮은 일을 하고 있지?'

'다른 회사로 옮기거나 직종을 바꾸면 기회가 더 많아질지도 몰라.'

이런 생각에 빠지면 자기 자신이 자꾸만 부족하고 어리석게 느껴진다.

이처럼 누군가와 비교하고 시샘하는 행동은 주변을 제대로 보지 못할 뿐만 아니라 자기 자신을 객관적으로 보지 못한다는 증거다.

20대에는 누구나 한 번쯤 이런 장벽에 부딪힌다.

다른 사람을 부러워하느라 에너지를 낭비해서는 안 된다. 그럴 시간에 자기 수준을 높이는 데 에너지를 쓰자.

이 점만 마음에 새기면 질투라는 시시한 감정에서 벗어날 수 있다.

주변의
기대를
무시하라

남들의 기대에 부응하는 '좋은 사람'이 되지 않는다고 해서
잃는 것은 의외로 많지 않다.

● 좋은 사람은 각자에게 이득이 되는 사람

"저 사람은 정말 좋은 사람이야"라고 평가할 때, '좋은 사람'이란 결국 누구에게나 좋은 사람이 아니라 각자에게 이득이 되는 사람이다.

반대로 이득이 되지 않는 사람은 자연히 '나쁜 사람'이 되는 것이다.

이런 점만 보더라도 세간의 평가가 얼마나 근거 없고 모호한 것인지 알 수 있을 것이다.

그런데도 '좋은 사람이 되어야 해', '좋은 사람이란 소리를 듣고 싶어'라며 타인의 시선과 세간의 평가를 지나치게 신경 쓰는 사람이 많다.

고독해지지 않으려고 평생 가면을 쓴 채 살아가면, 자기 자신에게 좋은 사람이 되지 못한다. 자기 자신에게 득이 되는 사람이 되어야 한다.

● 상황에 따라 달라지는 좋은 사람의 정의

다른 사람을 만날 때마다 좋은 사람인 척 연기하면 결국 지치게 된다.

그런데 우리는 어릴 때부터 좋은 아이가 되어야 한다고 배웠다.

이것 때문에 어른이 되면 삶이 힘들어진다.

그렇다면 '좋은 아이'란 어떤 아이일까?

누구의 관점에서 좋은 아이인 것일까?

건강한 아이를 좋아하는 부모에게는 밖에서 뛰어노는 활달한 아이가 좋은 아이이고, 얌전한 아이를 좋아하는 부모에게는 차분하고 예의 바른 아이가 좋은 아이다.

이처럼 각자의 가치관에 따라 '좋음'의 기준이 달라진다.

별 문제가 없을 때는 누구하고도 격 없이 잘 지내는 사람이

'좋은 사람'이고, 분쟁이나 전쟁이 일어나면 다소 거칠더라도 총대를 메고 위험 속으로 뛰어드는 사람, 혹은 수많은 적들을 넘어뜨리는 사람이 '좋은 사람'이다.

결국 세상에서 말하는 '좋은 사람'의 기준은 시대와 상황, 관점에 따라 쉽게 변하며 불확실하므로 믿을 만한 것이 못된다.

가족, 회사, 친구, 주변 사람들의 기대에 부응하려고 애쓰다 보면 그들에게 만점을 받기 위해 정작 자신의 본모습을 억누르며 살아갈 수밖에 없다.

● 타인의 평가에서 자유로워져라

자기답게 즐겁게 살았는데 좋은 평가를 받는다면 그 사람은 행운아이다. 하지만 자신을 무리하게 억눌러서 얻은 성과는 오래가지 못한다.

주위를 둘러보자. 타인의 기대에 부응하려고 애쓰다가 지쳐버린 사람이 꽤 많을 것이다.

타인의 평가를 지나치게 신경 쓰고 살면 안 된다. 그것은 타인을 위한 삶이지 나 자신을 위한 삶이 아니다.

세상의 상식이나 자신이 생각하는 본인의 한계, '반드시 그래야만 한다'는 확신을 다시 한 번 의심해보자.

어쩌면 쓸데없는 일에 에너지를 쏟고 있다는 사실을 스스로 알게 될지도 모른다.

불필요한 것들을 버리면 한결 자유로워질 수 있다.

'좋은 사람'이 되지 않는다고 해서 잃는 것은 의외로 많지 않다.

자신을
옭아매는
인간관계
정리하기

'잠시 혼자가 될 수도 있다'고 각오하면
인간관계 때문에 일희일비하지 않을 수 있다.

● 혼자 걸어갈 다짐해보기

성장하기 위해 자신의 상황을 바꾸거나 뭔가를 새로 시작할 때 피할 수 없는 과정이 있다.

'잠시 혼자가 될 수도 있다'라고 생각하는 것이다.

사람은 익숙한 환경에서 벗어나기 싫어하는 존재이므로 변화를 몹시 꺼린다.

주변 사람의 변화도 반기지 않는 경향이 있다.

'남은 남이고, 나는 나'라고 생각하는 사람도 있지만, 대다수는 상대의 변화에 싫은 소리를 하거나 차가운 시선을 보내는 등 부정적인 태도를 드러낸다.

친구들 사이에서 누구 하나가 열심히 하기 시작하면 변화가 일어났음을 본능적으로 알아차린다. 더욱이 그 친구와 멀어질지도 모른다는 두려움과 자신도 뒤처지면 안 된다는 강박 관념에 사로잡혀 저항감을 드러내는 경우가 있다.

사람들은 '이단'을 싫어한다.

현재 자신의 인생을 즐겁게 사는 사람, 인생이 잘 풀리는 사람 모두 처음에는 이러한 저항에 부딪힌다. 하지만 고독 속에서도 자신이 하고 싶은 일을 끝까지 해냈기 때문에 좋은 결과를 얻을 수 있었던 것 아닐까.

무언가를 시작할 때 '잠시 혼자가 될 수도 있다'고 각오하면 주변 사람들의 저항에 일희일비하지 않을 수 있다.

일어날 수 있는 일을 미리 알고 준비해둠으로써 '올 것이 왔구나' 하는 마음의 충격에 대비할 수 있기 때문이다.

● **불필요한 관계는 어떤 관계인가**

20대는 친구들끼리 서로 의존하는 경향이 강하다.

특히 비슷비슷한 사람들끼리 어울려 다닌다.

몰려다니면서 서로를 의지하고 위로하며, 나쁜 일이나 외로움을 잊으려고 한다.

동시에 상대가 자신과 같은 수준이기를 바란다.

여러분이 지금 가장 두려워하는 것은 무엇인가?

혹시 친구를 잃거나 직장에서 소외될까 봐 전전긍긍하고 있을지도 모른다.

왜 세상의 흐름을 쫓아가지 못 하느냐는 타인의 평가 따위는 겁내지 않아도 된다.

그런 두려움일랑 아예 떨쳐버리자.

혼자가 되었을 때 여러분에 대한 소문이나 험담이 퍼질 수도 있지만 그런 것들은 금세 사그라진다.

불필요한 관계라면 한시라도 빨리 벗어나는 편이 낫다. 지나치게 많은 사람과 인간관계를 맺으면 그 관계를 지켜나가기 위해 안간힘을 쓰면서 살아갈 수밖에 없다. 그러면 인생은 피곤해질 뿐이다.

진정한 행복을 원할 때, 자신의 진짜 감정을 따르고 싶을 때

무엇보다도 불필요한 관계에서 벗어나야 한다. 20대 때부터 자기 자신을 속이며 숨 막히는 삶을 살 필요는 없다.

자기만의 스타일이 있는 사람들은 고립을 두려워하지 않는다. 이는 영원한 고립이 아니다. 스타일이 생기면 어느새 주변에 그런 사람들이 모인다.

이는 생각만큼 엄청난 용기가 필요한 일은 아니다. 직접 해보면 알겠지만, 오히려 싱거울 정도로 쉽고 간단하다.

혼자가 되는 것을 두려워하지 않으면 이런저런 일에 얽매이거나 속박당하며 살 때보다 훨씬 밝고 넓은 세상으로 나갈 수 있다.

● 고민은 관계의 수만큼 늘어난다

사람과 사람이 만나면 그 사이에는 관계의 선이 생긴다. 이를 인간관계라고 한다.

여러분 주변에 사람이 늘어날수록 그 선의 수가 많아진다. 그리고 인생을 살아가면서 두꺼운 선, 얇은 선, 곧 끊어질 선을 구분하기 시작한다.

유독 인간관계 때문에 고민하는 사람이 많다. 그러나 인간관계에 얽매여 거기에 모든 시간을 쏟아부을 수는 없다. 여러분의 몸은 하나다.

여러분이 이런 고민에 빠져 있다면 자신의 인간관계를 하루빨리 되돌아보길 바란다.

무턱대고 관계를 늘려서는 자신을 옭아매는 결과만 부를 뿐이다. 관계의 수만큼 고민의 수도 늘어난다는 것을 잊지 말아야 한다.

자기 자신에게 이렇게 질문해보자.

나에게 정말로 소중한 사람은 누구인가.
붙잡으려고 애쓰는 그 관계는 나에게 정말 필요한가.
내 곁에 있는 사람들을 소중히 여기고 있는가.

고민의 수가 관계의 수와 비례한다는 것을 받아들인다면 과감히 인간관계를 정리하는 것이 그 고민에서 벗어나는 유일한 지름길이다.

당신이 속한 직장, 친구 모임, 동호회 등 조직의 인원수와 규모는 각양각색이겠지만, 그중에서도 마음에 맞는 사람들과 조직이 있을 것이다.

하지만 어느 조직이나 모임이든 시간이 지나면서 그곳 특유의 상식이나 분위기에 젖어 들기 마련이다.

지금 자신이 속해 있는 곳에서 즐겁고 행복하다면 상관없다. 그러나 여러분의 마음이 무겁고 갑갑하다면 한번 고민해 보는 편이 낫다.

그곳에서 불편하고 위화감을 느낀다면 다른 조직이나 모임으로 옮기는 것도 하나의 방법이다.

세상에는 무수히 많은 인간관계가 있다.

그렇게 자신에게 좋은 것을 선택하면 훨씬 더 자유로워지고 보다 폭넓은 가치관을 가질 수 있다.

**부모로부터
빨리 독립하라**

자신의 의지대로 자유롭게 살아갈 기회를
부모님에게 주면 안 된다. 그것은 나의 인생이기 때문이다.

● **내가 마마보이, 마마걸일 확률**

20대가 되고도 부모로부터 독립하지 못하는 사람이 많다.

이들을 마마보이, 마마걸이라고 부르며 비하하지만, 요즘 여기에서 자유로운 사람이 몇이나 될까? 그만큼 많다는 뜻이다.

그 원인을 부모에게서 찾으면 간단하겠지만 그분들의 성격을 고칠 수 있는 게 아니므로, 그 문제를 '나'의 것으로 가져와서 해결해야 한다.

먼저 부모의 간섭을 허용하는 본인의 안이한 성격을 살펴보자.

'엄마, 아빠라면 나를 이해해주겠지? 내 능력도 인정해주고 회사에 대한 불만도 잘 들어줄 거야. 내가 원하는 건 뭐든 다 해주리라 믿어. 부모님은 나의 고통을 함께 나누는 분신 같은 존재니까.'

혹시 자신도 모르게 이런 생각을 하고 있지 않은지.

반면, 부모를 의지할 존재가 아니라 '지켜야 할 존재'로 여기는 사람은 마마보이나 마마걸이 아니라 효자, 효녀에 가깝다.

만약 자신이 '마마보이, 마마걸에 가깝다'고 생각한다면 지금부터라도 마음가짐과 태도를 바로잡는 편이 좋다.

부모와 같이 살든, 떨어져 살든 부모에게 이런저런 간섭을 받을지도 모른다. 일이나 결혼 등 인생의 중대한 문제에도 부모가 사사건건 관여할 것이다.

하지만 여러분에게는 자신만의 생각이 있다. 부모 눈에는 불안해 보일 수 있지만, 자신의 미래는 스스로 직접 그려 나가야 한다.

부모에게 일일이 확인받지 말고 목표를 향해 힘차게 걸어 나가면 된다.

● 부모에게 결정권을 주지 마라

인생을 후회하면서 사는 사람들에게는 두 가지 공통점이 있다.

최종 결정을 스스로 내리지 않는다.
걸핏하면 남을 탓한다.

무언가에 도전하려고 할 때 현실을 봐야 한다는 상투적인 말로 이를 방해하는 사람이 꼭 있다. 그 대표가 바로 부모다.

반대하는 사람이 부모나 가까운 지인일 경우, 그것이 선의에서 나온 개입인 것을 알기에 영향을 받을 수밖에 없다.

하지만 부모, 형제 등 그 누구라도 나와 가치관이 완벽히 일치하는 사람은 없다.

사람마다 상식이 다르다. 사람 수만큼 상식이 있다고 해도 과언이 아니다.

'부모가 그렇게 말했다'는 이유로 결단을 내리면 살면서 후회가 밀려올 때마다 부모를 탓할 것이다.

그러나 무슨 일이든 스스로 판단하고 결정하면 어떤 결과가 나오든 겸허하게 받아들일 수 있다.

결과를 책임질 용기를 갖고 자신이 스스로 정한 길을 착실히 가보는 것이다.

부모의 생각에 따라서 살든, 자신의 의지대로 살든 결과는 결국 자신이 책임져야 한다.

20대는 어른이다. 사회인으로서 책임을 다할 의무가 있다. 모든 일을 스스로 결정할 자유도 있다.

자신의 의지대로 자유롭게 살아갈 기회를 다른 사람에게 주면 안 된다. 그것은 나의 인생이기 때문이다.

● **인간 대 인간으로 부모를 만나라**

나는 어머니가 돌아가신 뒤 이제 그분의 잔소리를 들을 수 없다는 서글픈 사실을 뼈저리게 실감했다. 그러나 머지않아 부모는 자식 곁을 떠난다는 사실을 인정할 수밖에 없다.

20대가 되었다면 이제 부모를 인생 선배로 대해야 한다. 인간 대 인간으로 부모와 마주할 때가 온 것이다.

부모를 존중하고 사랑한다는 관점에서 부모의 의견을 참고하는 태도는 훌륭하다. 이는 부모에게 의존하거나 어리광 부리는 것과 다르다. 이제 그들의 말을 하나의 의견으로만 받아들여야 한다.

만약 이 말을 듣고 부모 말을 따르는 것이 왜 나쁘냐고 반문한다면, 자신을 따뜻하게 감싸주는 포근한 담요를 빼앗길까 봐 아직 두려워하고 있다는 증거다.

20대는 추울 때 알아서 옷을 찾아 입을 시기이다.

20대에 그 정도의 자립심은 확보해두어야 한다.

안일한 마음으로 부모를 탓하는 습관을 깨끗하게 버리고 스스로 선택한 인생을 걸어가자.

자신의 인생에서 일어나는 일은 전부 스스로 책임져야 한다.

이렇게 마음먹는 순간, 부모는 이러저러해야 한다는 자기만의 고정관념과 이별할 수 있다. 부모를 대하는 자신의 태도가 서서히 변해갈 것이다.

제3장

20대의 배움

인생의 기초를 다지는 공부

twenties•

다양한
사람들이
살아가는 방식을
배워라

다양한 삶의 방식을 앎으로써 다시 일어설 수 있는
자기만의 힘을 기를 수 있다.

● **좌절이 특별하지 않은 이유**

여러분은 자신의 인생에 만족하는가?

행복한 삶을 살고 있는가?

'나로 태어나서 다행이야'라고 자신 있게 말할 수 있는가?

살다 보면 다양한 일과 맞닥뜨린다. 즐거운 일만 있으면 더
할 나위 없겠지만 인생은 그렇게 호락호락하지 않다.

소중한 사람과 헤어져야 할 때도 있고, 싫은 사람과 매일
얼굴을 마주해야 할 때도 있다. 절망하고 좌절하는 순간도 있
을 것이다.

그래서 어떻게 하면 좌절하지 않고 사느냐가 아니라, 어떻게 좌절을 딛고 일어서느냐가 중요하다. 당신의 좌절은 특별하지 않다. 좌절을 극복하는 태도가 당신을 특별하게 만들어준다.

● 자신의 작은 틀을 깨는 방법

좌절에서 일어설 수 있는 힘은 어떻게 기를 수 있을까?

이 물음에 대해 고민하다 보면 '성공한 사람들의 삶의 방식은 어떨까?'라는 생각에 머물게 된다.

좌절을 겪고 다시 일어서지 못하는 사람들은 자기 틀 안에 갇혀 주위를 보지 않으려고 한다. 그러면 살아가는 방식에 대한 선택지가 좁아질 수밖에 없다.

반면 넘어져도 씩씩하게 다시 일어서는 사람들은 인생을 살아가는 다양한 방식을 알고 있다.

때로는 "이것이 내가 사는 방식이야!"라며 자기주장을 굽히지 않는 태도도 필요하다.

단, 살아가는 방식을 자기 틀에 가두기 전에 수변 선배들이나 지금 우리 사회에서 존경받는 사람들의 삶의 태도와 방식을 알아두면 훨씬 더 폭넓은 선택을 할 수 있다.

다양한 삶의 방식을 앎으로써 '다시 일어설 힘'을 기를 수 있다. 그 힘은 단순히 성공한 사람들에게 배운 삶의 방식이 아니라, 나 자신이 주인이 되어 내가 만들어낸 것임을 잊지 말자.

● 다양한 삶을 알아야 한 걸음 더 간다

살아가다 보면 다른 사람의 조언이나 충고보다는 누군가가 살아가는 방식이나 태도를 통해 힘과 용기를 얻곤 한다.

"저는 이렇게 살았습니다. 자, 당신은 앞으로 어떻게 살아가겠습니까?"

다른 사람이 살아가는 모습에 비춰 자기 자신을 되돌아보고 행동함으로써 우리는 비로소 성장한다.

좋은 책을 읽거나 좋은 이야기를 듣고도 행동하지 않는다면 이는 단순한 여가 활동으로 끝나고 만다. 영화 한 편을 볼 때도 등장인물이 어떤 방식으로 살아가는지 보고 배우려고 노력해보자.

열심히 하라는 말만 듣고 그것을 행동으로 옮기기란 쉽지 않다.

하지만 누군가가 열심히 살아가는 모습을 보면 마음이 저절로 움직여지고 누가 시키지 않아도 분발하게 된다.

이렇듯 누군가의 살아가는 방식이나 태도는 사람의 마음을 움직인다.

20대 때는 많은 사람과 접하며 그들의 방식을 듣고 배워야 한다.

오랜 세월 동안 우리에게 소중한 가르침을 주는 선인들의 삶에도 관심을 가져보면 어떨까?

성공하는 사람은 다른 사람들에게 배우려는 노력을 게을리하지 않는다.

직장 상사에게
배울 수
있는 것

훌륭한 상사와 미숙한 상사 모두 여러분의 미래에 도움이 된다.
단, 상사에게 정신까지 지배당하지 마라.

● **그들이 생각보다 훌륭한 이유**

어떤 직장 상사를 만나느냐에 따라 20대의 성패가 판가름 난다고 하면 비약일 수도 있겠지만, 그만큼 중요한 문제이다.

20대에 훌륭한 상사나 선배를 만난 사람은 남보다 앞서갈 수 있는 좋은 티켓을 손에 한 장 더 넣은 것이나 마찬가지다.

직장 내에 존경할 수 있는 상사가 있다면 주저 말고 그 사람의 업무 스타일, 사고방식, 대화법 등을 눈여겨보자.

인간은 환경의 영향을 받는 존재이다. 그리고 **영향력이 강한 쪽이 늘 약한 쪽을 물들인다.**

무리해서 배우려고 애쓰기보다 그 사람과 함께 일하다 보면 자연스럽게 배우기 마련이다.

이사 간 지역의 사투리가 시간이 지날수록 귀에 잘 들리고 입에 붙는 일과 같은 이치이다. 지방에 살던 사람도 도시에 살면 표준어에 점차 익숙해진다. 도시에 살던 아이가 지방에 간 지 며칠 안 되어 사투리를 맛깔나게 구사하기도 하지 않는가. 이렇듯 사람은 자연스럽게 주변의 영향을 받으며 살아간다.

이 습성을 거꾸로 이용해보면 어떨까.

본받을 만한 상사와의 접촉 빈도를 가능한 많이 늘리는 것이다.

영향력의 법칙을 잘 활용하여 자신에게 좋은 영향을 미치는 사람과 될 수 있는 한 일을 같이 해보는 것이 좋다. 그가 가까이에서 일할 수 없는 높은 직책의 사람이라도 기회가 될 때마다 그가 어떻게 일하는지, 사람들을 어떻게 대하는지 유심히 관찰한다.

● 마음에 안 드는 상사, 어떻게 대할까?

회사에서 일 년 정도 일하다 보면 상사의 그릇이 보이기 시작한다.

경험이나 숙련도는 어느 정도 성숙하겠지만 인간성이나 업무 태도까지 모두 뛰어난 것은 아니다. 그런 부분들이 가감 없이 보이면 거부감이 들 수도 있다.

같이 일을 하다 보면 상사의 조언이나 가르침이 납득되지 않을 때가 있다.

그때마다 하나하나 따지고 반론할 필요가 있을까? 모든 일을 무조건 참으라는 뜻은 아니다. 식별이 필요하다.

식별을 하고 행동하면 적어도 쓸데없이 논쟁을 벌여 회사에서 인간관계를 망치는 일은 피할 수 있다.

하나하나 따지고 크게 반론할 입장이 아니라면, 어느 정도 거리를 두고 일을 하면 된다. 마음에 안 든다고 원하는 대로 부서 이동을 할 수는 없는 노릇이다.

아무리 직장 상사라도 마음마저 속박당하면 안 된다.

마음속으로 누구를 좋아하고 누구를 싫어할지는 여러분이 결정할 문제다.

● 마음에 안 드는 상사도 필요하다

'상사의 눈 밖에 나면 어떡하지?'라는 걱정은 하지 않아도 된다. 지금까지처럼 주어진 일은 착실하게 해야 하며 업무 보고도 빠뜨리지 말아야 한다. 단, 한 가지 예외가 있다.

자신의 지위를 지키는 데만 급급한 상사에게는 반론해도 좋다.

당연히 상사와의 관계는 불편해질 것이다. 어쩌면 회사에서 당신의 입지가 약해질지도 모른다.

하지만 납득되지 않는 엉뚱한 지시만 내리는 상사의 비위를 맞춰봤자 미래에 득이 될 것이 없다.

팀에서 막내라도 자신의 명확한 생각과 견해를 지켜나가야 한다. 이런 훈련이 되어 있지 않으면 직급이 올라가도 자기만의 생각을 하지 못한다. 자리가 사람을 만들어준다고? 직급이 올라가면 자연스럽게 될 것 같다고? 절대 그렇지 않다. 첫 직장생활부터 훈련을 해야 가능한 일이다.

상사가 비상식적이고 도저히 견딜 수 없는 지경이라면 마지막 수단으로 이직을 고려해보는 것도 나쁘지 않다. 세상은 넓고 회사는 많다.

하지만 참을 수 있을 정도라면 이렇게 생각해보자.

'고민하는 시간조차 아까워. 이왕 이렇게 된 거 상사를 반면교사로 삼자.'

마음에 안 드는 상사를 반면교사로 삼으라는 말은 매번 반발심을 드러내 직장 분위기를 깨라는 말이 아니다. 훗날 여러분이 상사가 되면 싫어하는 상사가 했던 행동을 생각하며 반대로 행동하면 된다.

인생의 스승,
그 한 사람을
찾아라

여러분이 바라는 눈부신 미래를 실현하기 위해서는
여러분을 이끌어줄 존재가 한 명쯤은 필요하다.

● 성공한 사람에게 반드시 있는 것

"여러분 옆에는 '인생의 스승'이라 부를 만한 존재가 한 사람이라도 있습니까?"

세미나에서 만난 강연자, 좋아하는 책의 저자, 영상에서 본 강사 등 실제로 만난 사람이라도 좋고, 직접 만날 수 없는 존재라도 상관없다.

부모를 스승으로 삼아도 되지만 부모와 자식 간은 객관적인 관계가 아니므로 이왕이면 다른 사람을 스승으로 삼는 것이 좋다.

위 질문에 "네. 있습니다"라고 대답할 수 있는 사람은 성공을 향한 특별한 선물을 손에 쥐고 있는 셈이다.

 남들보다 앞서 나가는 사람, 나아가 사회에서 두각을 나타내는 사람 곁에는 어김없이 최고의 스승이 있다.
 최고의 스승으로 삼고 싶은 존재가 저마다 다르겠지만, 자신이 바라는 눈부신 미래를 실현하기 위해서는 여러분을 이끌어줄 존재가 반드시 필요하다.

● 조금은 엄격한 사람을 멘토로

최고의 스승은 때로 엄격하고 냉정하다.
그들은 달콤한 말만 하지 않는다.
자신이 언제까지고 제자 곁에서 도와줄 수 없다는 사실을 알기 때문이다.
 인생의 긴 여정 속에서 제자가 길을 헤매지 않도록 중요한 것들을 가르쳐주는 사람이 진짜 스승이다.

 요즘에는 가르쳐주는 사람이 배우는 사람의 눈치를 보며 더 조심스러워하는 경향이 있다.

과거에는 강제로라도 올바른 가르침을 전하고자 한 '진정한 스승'이 많았다. 제자들을 위해 필사적이었던 '부모 같은 스승'도 적잖았다.

지금 같으면 '너무 강압적이다!', '상대가 이해하지 못하면 의미 없다!' 하고 비난을 받을지도 모른다. 물론 상대가 잘 이해할 수 있도록 전달하는 것이 중요하다.

그러나 듣는 사람이 쉽게 이해할 만한 수준의 내용을 전달한다고 해서 그것이 상대에게 얼마나 도움이 될까? 달콤한 위로와 조언은 독이 되기도 한다.

스승의 역할은 그 자리에서 바로 이해를 시키는 데 있지 않다. '언젠가는 그 말의 뜻을 깨닫게 될 거야' 하고 멀리 보는 안목을 키워주는 것이 스승의 참된 역할이다.

'대체 무슨 말을 하는 거야? 무슨 뜻인지 하나도 모르겠어' 하고 의문이 생기거나 반감이 들어도 그 가르침으로 인생의 깊이가 달라진다는 점을 명심하자.

역사를 알면
사람의 본질이
보인다

역사를 통해 사람이 살아가는 원리와 그 속에서
통용되는 원칙을 알면 더 고차원적으로 사고할 수 있다.

● 시대가 바뀌어도 변하지 않는 것

옛날부터 수많은 위인들이 거듭 강조해온 말들이 있다.

미리 모여 입을 맞추기라도 한 듯, 어느 책에나 흔히 나오는 진리가 있다.

같은 내용을 반복해서 접하면 '어휴, 결국 다 똑같은 얘기잖아' 하고 외면해 버리고 싶어지기도 한다.

그런데 인류는 왜 그 비슷비슷한 말들을 지금까지 지켜온 것일까?

사람의 본질이나 중요한 가치는 시대가 바뀌어도 변하지 않기 때문이다.

물론 패션, 비즈니스, 라이프 스타일처럼 시대의 흐름에 따라 빠르게 변화하는 것들도 있다.

하지만 인간의 본질적인 마음은 변화하는 것들 속에서 변하지 않는다.

예를 들어 매력에 대해 생각해보자.

시대를 막론하고 자신의 매력을 만드는 방법은 간단하다.

사람들에게 베푸는 사람이 되면 된다.

매력은 다른 사람에게 주면 줄수록 늘어나고, 받으면 받을수록 줄어드는 법이다.

매력은 남에게 베풂으로써 생기고 갈망함으로써 사라진다.

이는 시대를 막론하고 누구에게나 똑같이 적용되는 진리다.

'불역유행(不易流行)'이라는 말이 있다. '불역'이란 시간이 흘러도 변하지 않는 것, '유역'이란 시의적절하게 변하는 것이다. 이 말은 예부터 이어져 온 진리를 소중히 지키면서 시대의 흐름에 발맞춰 나간다는 뜻이다.

변하지 않는 진리를 좇으면 시대에 따라 변하지 않아도 되니까 안정된다.

어차피 좇을 것이라면 짧은 유행보다는 변하지 않는 진리를

따르는 편이 현명하다.

● 사람의 마음을 꿰뚫어 보는 안목

사람의 본질을 깨닫기 위한 효과적인 방법이 있다.

바로 역사를 배우는 것이다.

역사로부터 다양한 삶의 방식을 배우면 살아가는 태도와 마음가짐이 달라진다.

사람의 본질은 시대가 흘러도 변하지 않는다. 이 말은 우리보다 먼저 다양한 경험을 해본 사람들에게 배울 점이 많다는 의미이다.

정보를 얻는 경로는 위인전이어도 좋고 역사 소설이나 시대극이어도 좋다. 어떤 주제든 상관없다.

스트레스 없이 즐기면서 배우기에는 역사 드라마가 좋다. 재미를 위해 허구적 요소가 많이 들어가지만 역사의 큰 흐름을 이해하는 데 도움이 된다.

그 정도만 알아도 충분하다. 역사 시험을 준비하는 것이 아니니 연도나 누군가의 업적을 외우지 않아도 된다.

어떤 방법을 택하든 역사를 배울 때 갖춰야 할 기본 태도가 있다.

사람의 마음을 꿰뚫어 보는 안목을 키우겠다는 다짐이다.

요컨대 사람들이 공통으로 추구하는 본질적인 사고방식을 역사 속에서 찾을 수 있다.

이것이 우리가 역사를 배울 때 놓치지 말아야 할 핵심이다.

시대와 문화에 따라 중시되는 가치관은 가지각색이지만, 그 바탕에 깔린 사고방식은 크게 다르지 않다.

사람이 살아가는 원리와 그 속에서 통용되는 원칙을 알면 보다 본질적으로 사고할 수 있으며 이를 현실에 응용할 수 있다.

● **사건이 아니라 사람을 본다**

사람에 대해 알기 위해서는 우선 그를 유심히 관찰해야 한다.

어항 속 물고기를 매일 관찰하다 보면 차차 물고기 종류와 특징까지 구분할 수 있게 되는 것처럼, 평소에 사람을 주의 깊게 관찰하면 사람의 진가를 꿰뚫어 보는 안목이 생긴다.

경찰관이나 누군가를 평가하고 심사하는 일을 하는 사람

들은 대개 이런 능력이 탁월하다.

관심을 기울여 사람을 보면 어느새 그의 습성이 보이기 시작하고 그를 파악할 수 있다.

역사책을 읽을 때도 '이 사람은 왜 이렇게 행동했을까?', '이 상황에서 무슨 생각을 했을까?' 하고 인물의 심정이나 감정을 생각하면서 '역시 사람은 모두 같구나'라는 진리를 깨달을 수 있다.

성공하는 사람은 역사에서뿐만 아니라 자신이 존경하는 상사나 스승, 혹은 좋아하는 선배에게서도 살아가는 방식과 마음가짐을 배우고자 노력한다.

겉모습이나 행동을 따라 하는 것부터 시작해도 좋지만, 그 바탕에 깔린 본질을 들여다보아야 훗날 내 것을 만들 수 있다.

성공하는
사람들의
독서법

좋아하는 책을 몇 번이고 읽고 깊이 파고들면
그것만으로도 주변 사람들보다 앞서 나갈 수 있다.

● **좋아하는 책을 일곱 번 읽어라**

우리는 책을 읽으며 사람에 대해 배울 수 있다.

어느 성공한 분이 당시 20대인 나에게 해준 말이 있다.

"좋아하는 책은 반드시 3개월에 일곱 번 이상 읽어라."

그의 말대로 책을 반복해서 읽어 나가자 이상한 일이 생겼다.

책을 읽을 때마다 와닿는 부분이 다른 것이다.

'어? 이런 문장이 있었나?'

이전에는 전혀 보이지 않던 내용이 눈에 들어왔다.

이것이 바로 우리가 추구하는 변화이자 성장의 증거다.

여러분이 무엇을 보든 그것은 주변 환경이나 사건, 심경에 따라 달라진다. 이런 점에서 책은 그때그때마다 나 자신을 재는 척도라고 할 수 있다.

● 백 권을 읽고 아무것도 하지 않았다면?

앞에서 말한 그 성공한 사람은 이렇게 말했다.

"그 사람의 책장을 보면 얼마나 성공할 수 있을지 알 수 있다. 책장에 꽂힌 책 중에서 몇 권이나 너덜너덜한지 세보면 된다."

이 말을 들은 후부터 나는 '일류의 책장'에 대해 연구하기 시작했다.

성공한 사람이 좋아하거나 영향을 받은 책을 읽으면서 그 사람의 사고를 배우고자 했다.

그래서 기회가 있을 때마다 일류의 책장을 들여다보았는데, 서점처럼 온갖 책을 빼꼭히 꽂아놓은 사람은 거의 없었다.

공통점은 단 한 가지, 책장의 책들이 전부 너덜너덜하다는 점이었다.

그때부터 나는 독서 스타일을 완전히 뒤바꿨다.

책을 많이 읽으려는 욕심에서 벗어나 같은 책을 여러 번 읽기

시작했다.

나와 잘 맞으면서 반복해서 읽을 만한 책을 찾기 위해 근처 서점에 가서 한나절 이상 책을 뒤적거렸다. 덕분에 서점 점원으로부터 의아한 눈총을 받아야만 했다.

성공한 사람이 정보를 많이 갖고 있을 거라고 생각하지만, 사실 그들은 **'자신에게 적합한 정보를 잘 선별하여 적극적으로 활용하는 능력'**을 가지고 있다.

그들은 수많은 정보를 머릿속에 집어넣어 봤자 갈피를 못 잡고 헤맬 뿐이라는 사실을 이미 알고 있다.

책을 한두 번 읽고 저자가 전달하고자 하는 내용의 본질을 완벽히 이해할 수 있을까? 쉬운 일이 아니다.

자신의 속도대로 읽어야 저자의 생각과 의도를 더 깊이 이해할 수 있다.

책을 많이 읽는다고 해서 성공한다는 보장은 어디에도 없다. 오히려 책에서 읽은 지식과 정보가 머릿속에 가득 차서 결국 갈 길을 헤맬 확률이 높다.

반면 좋아하는 책을 몇 번이고 읽고 깊이 파고든다면 그것만으로도 주변 사람들보다 앞서 나갈 수 있다.

좋아하는 책을 여러 번 읽자. 그리고 책을 내 편으로 만들자.

제4장

20대의 습관

오늘 하루가 10년을 책임진다

twenties.

**필요 이상으로
거부하는
태도는
득이 없다**

윗사람과의 관계에서 필요 이상으로 거부하는 태도는
득이 될 것이 없다. 관계를 잘 맺는 사람이 출세할 기회를 얻는다.

● 자기 세대에 갇혀 살지 마라

젊은이들은 열정을 가지고 목표를 향해 열심히 노력한다.
이들 가운데는 자신의 커뮤니티나 조직을 이끌어 나가는, 꿈
과 열정으로 충만한 사람들도 있다.

한번은 그런 젊은 리더들이 많이 모여 있는 행사에 게스트
로 초대받아 간 적이 있다.

반짝반짝 빛나는 보석 같은 젊은이들이 많이 보였다. 그런
데 놀라운 것은 그들에게는 공통된 능력이 있었다.

**그들은 누가 시키지 않아도 연장자의 입장을 충분히 이해하
고 연장자가 흡족해할 만한 환경과 분위기를 만들었다. 억지로**

그렇게 행동하는 것이 아니고, 본심에서 우러나오는 말씨와 행동으로 자연스럽게 드러났다.

행사나 파티에서는 사람들의 인간성이 쉽게 드러난다.

진행 방식, 게스트 선정, 그리고 분위기에 잘 적응하지 못하는 사람에 대한 배려 등에서 이를 엿볼 수 있다.

정치나 비즈니스 세계에서도 마찬가지지만, 사람들은 세대, 계층, 직업 등을 자기 자신에게 친근한 쪽으로 치우치는 경향이 강하다. 조직이나 일의 전체적인 흐름보다 오로지 자기 위주로 생각하는 이기심이 드러나기 마련이다.

● 연결되어 있을 때 기회를 얻는다

'장유유서(長幼有序)'라는 말이 있다. 윗사람과 아랫사람 사이에는 차례와 순서가 있다는 뜻이다. 한마디로 윗사람을 존중해야 한다는 의미다. 존중한다는 말은 윗사람이 설 자리를 만들어준다는 뜻이기도 하다.

이 말을 단순히 시대에 뒤떨어진 사고방식으로 듣지 말기를 바란다. 그 속에는 나이나 직급 차이를 뛰어넘는 본질이 숨어 있다. 제대로 된 조직과 앞서가는 젊은이들은 이 핵심을 놓치지 않는다. 그것이 본인들에게 유리하게 작용한다는 것을 알기 때문이다.

물론 윗사람을 존중하는 태도에는 반드시 균형과 배려가 필요하다.

지나치게 윗사람만 추켜세우면 자신의 에너지를 분출하지 못해 욕구불만이 되고, 반대로 윗사람을 무시한 채 젊은 사람들하고만 어울리면 한쪽으로 치우쳐 편견이나 독선에 빠질 우려가 있다.

직장에서는 물론이고 앞서 나가는 사람은 어떤 관계 앞에서도 자신감을 보인다.

상사나 직장 동료들과 좋은 관계를 맺고 연결되어 있으면 자신의 입지가 견고해진다는 점을 잊지 말자. 20대에 이 사실을 깨우치면 앞으로의 인간관계도 문제없다.

상사나 선배도 결국 사람이다. 그들은 우리보다 먼저 높은 자리로 올라간다. 이것은 그들이 설 자리가 점점 좁아진다는 뜻이기도 하다. 우선 이 같은 이치를 이해해야 한다.

윗사람과의 관계에서 필요 이상으로 거부하고 저항하는 태도는 자신에게 득이 될 것이 없다. 관계를 잘 맺는 사람이 출

오늘 하루가 10년을 책임진다

세할 기회를 얻는 것이 당연하지 않은가.

물은 위에서 아래로 흐른다. 조직에서는 크든 작든 윗사람부터 기회를 준다. 그다음이 여러분이다.

같은 세대뿐만 아니라 윗사람의 마음과 상태를 읽을 줄 아는 폭넓은 시야를 갖자.

**사회관계,
이렇게
만나라**

인간관계는 서로를 기쁘게 해야 한다는 중요한 사실을 기억하자.
어느 한쪽만 일방적으로 베푸는 관계는 오래갈 수 없다.

● **듣는 힘을 기른다**

물이 위에서 아래로 흐르듯, 사회에서 얻게 되는 기회도 위
에서 아래로 차례로 주어진다.

그러므로 연장자와 원만하게 커뮤니케이션하는 능력을 키
우면 사회생활을 하는 데 큰 도움이 된다.

연장자의 이야기를 들을 때 고개를 끄덕이며 메모를 해본
적이 있는가?

학생과 직장인에게 요구되는 능력은 상당히 다르다.

학생 때는 시험에서 좋은 점수를 받는 것이 중요하지만, 사
회에 나가면 '사람을 끌어당기는 힘'을 기르는 것이 인생을

좌우할 만큼 중요해진다.

메모를 하는 습관은 학교에서도 배울 수 있으나, 타인의 말에 수긍하는 태도는 경험 속에서 배울 수 있다. 그 중요성을 아는 사람이 많지 않기 때문에 이것을 익혀두면 남들보다 돋보일 수 있다.

열심히 하는 사람은 어디에나 있다.

그런데 연장자는 배우려는 마음이 있는 사람을 도와주고 싶어 한다.

괜히 잘난 척하며 폼 잡는 사람보다 '열심히 배우고 싶은 마음'을 솔직하게 드러내는 사람이 눈에 띄기도 쉽고 사랑도 더 많이 받을 수 있다.

상대방의 말에 귀 기울이는 태도는 상대의 마음을 움직이는 제1원칙이다.

● 어떤 20대가 사랑받을까?

어떤 20대가 다른 사람들에게 사랑받을까?

여기에서는 윗사람에게 사랑받기 위한 세 가지 조건을 정리해보았다. 다음 내용은 비단 윗사람들에게만 해당되는 내용은 아니다. 여러분이 누구를 만나든 노력해야 할 문제이다.

① 말로 한 약속은 반드시 지킨다

젊은 시절에는 그때그때의 감정에 휘둘려 말을 내뱉기가 쉽다.

기분이 좋을 때는 "꼭 연락드리겠습니다!" 하고 잔뜩 흥분해서 말하지만, 그 감정이 식으면 자기가 한 말을 까맣게 잊고 결국 연락하지 않는다.

이 경우 상대가 연장자라면 '아직 어리니까 어쩔 수 없지'라고 이해를 하면서도 관계를 계속 이어가지 않는다.

반면, 약속대로 연락을 한다면 여러분은 상대에게 '보기 드문 젊은이'라는 인상을 줄 수 있다.

'아, 이 사람은 자기가 한 말을 반드시 지키는 사람이구나.'

이렇게 그저 지나가는 말이라도 행동으로 보여주면 강력한 신뢰를 얻을 수 있다.

② 만나기 전에 그 사람에 대해 알아본다

상대를 만나기 전에 그에 대해 잠깐이라도 알아보는 것은 상대에게 기울이는 관심의 크기이다.

남녀노소를 막론하고 사람은 자기 자신에게 관심을 보이는 사람에게 흥미를 갖는 법이다.

따라서 간단한 정보라도 미리 찾아보고 만나는 것은 상대방의 호감을 얻기 위한 좋은 방법이다. 여기에서 말하는 정보는 사적인 것이 아니다. 그 만남과 연결된 정보, 즉 그가 하는 일이나 그의 업적을 말한다.

요즘은 인터넷에서 어떤 정보든 손쉽게 찾을 수 있다. 상대방이 한 회사의 대표라면 우선 그 회사가 하는 일을 찾아본다. 그의 업적이나 인터뷰 기사, 저서도 그와 이야기를 나누는 데 아주 좋은 소스를 제공한다.

시간이 있다면 그 사람이 쓴 책을 찾아서 읽고 만나면 어떨까?

상대에 대해 열심히 조사하고 질문할 내용을 미리 준비해 오는 사람이 과연 얼마나 될까?

한 사람이 지금까지 일궈온 업적은 그 사람의 역사라고 할 수 있다. 그것을 조사해온 여러분의 태도에 상대는 아주 깊이 감동할 것이다.

어떤 상황에서든 상대를 기쁘게 하려는 마음만 있다면 그

관계는 틀림없이 성공한다.

③ 어떻게 성장할까 기대하는 마음을 줘라

눈여겨본 젊은이의 멋진 미래를 지켜보는 일은 연장자 입장에서 매우 큰 기쁨이다.

따라서 연장자와의 만남 이후에도 꾸준히 자신의 근황이나 일의 경과를 전하며 관계를 관리하는 것이 좋다.

인간관계는 서로를 소중히 생각해야 지속된다. 그런데 서로를 기쁘게 해야 한다는 사실을 모르는 사람이 많은 듯하다. 어느 한쪽만 일방적으로 베푸는 관계는 오래갈 수 없다.

나이가 적거나 직급이 낮더라도 어떤 형태로든 반드시 신세를 갚아야 한다. 이것이 인간관계의 법칙이다.

젊을 때는 받은 만큼 보답을 하기가 쉽지 않다.

우리가 연장자에게 줄 수 있는 한 가지는 '저 사람이 어떻게 성장해나갈지 지켜보고 싶다'는 기대감이다.

이것이 후배 세대의 역할일지도 모른다.

커뮤니케이션은 '질'은 물론이고 '양'도 매우 중요하다.

사람과 사람 사이의 친밀도는 이야기를 나눈 횟수에 비례

오늘 하루가 10년을 책임진다

한다.

오늘날 SNS를 비롯하여 편리한 매체나 플랫폼이 많이 등장하면서 수시로 소식을 전하고 소통하는 일이 사회적 매너로 인식되고 있다.

자신에게 도움을 준 사람에게 잊지 말고 근황을 전하는 일을 습관으로 만들자. 그리고 늘 활력 넘치는 모습을 보여주자. 이것이 인간관계이자 비즈니스이고, 삶이다.

그래야 단순한 만남을 행복한 관계로 바꿀 수 있다.

**부정적인
사람과
거리 두기**

성공한 사람은 포기한 사람들을 가까이 하지 않는다.
포기한 사람들의 말이 무의식을 지배하기 때문이다.

● **나이를 핑계 대는 사람을 경계하라**

열 사람의 사고는 직간접적으로 우리에게 감염된다.

타인에게 좋은 영향을 받는 것은 반드시 필요한 일이지만,
나쁜 영향을 미치는 사람들을 경계해야 하는 점도 잊지 말자.

특히 **'포기한 사람들 주변에 눌러앉는 것'**은 매우 위험한 일
이다.

성공한 사람은 포기한 사람들을 가까이에 두지 않는다.

"이제 나이도 나이고, 열심히 해봤자 소용없어."

혹시 이런 말을 하는 어른을 주변에서 본 적이 있는가?

누군가를 보며 '이 사람처럼 살지 말아야지'라고 생각한 적

오늘 하루가 10년을 책임진다

은 없는가?

누군가에게 나이는 '열심히 하지 않아도 되는 좋은 핑곗거리'가 된다.

나이를 탓하면 포기는 그만큼 간편해진다.

게다가 이러한 사고방식은 주변으로 쉽게 확산된다.

우리가 무의식중에 듣는 말은 잠재의식에 지대한 영향을 미친다.

● 불평불만을 일삼는 사람을 멀리하라

인간은 주변 환경의 영향을 많이 받는 동물이다.

어떤 장소에서 어떤 말을 사용하고 어떤 사람을 만나느냐에 따라, 그저 나이만 먹은 어른이 될지, 성숙하고 사려 깊은 어른으로 살아갈지 결정이 된다.

체념, 불평불만, 남에 대한 비방이나 험담을 할 때는 그 위험성을 알아차리기가 어렵다.

인생이 잘 풀리지 않을 때 다른 사람이 성공하는 모습을 보면 누구라도 질투를 느낀다. 그래서 질투를 느낀 사람들끼리 모여 성공한 사람을 헐뜯으며 즐거워하기도 한다.

하지만 사람들은 누군가가 쉬 던진 말이 그 집단의 분위기를 어떻게 바꿔놓는지 본능적으로 판단한다. 말하지 않아도 암묵적으로 다 알고 있다.

비판만 일삼는 사람들이 모인 공간은 어둡고 탁하다.

자신의 미래를 중요하게 생각한다면 부정적인 영향을 미치는 사람들을 멀리해야 한다.

다음 장에서 20대에 되도록 가까이하지 말아야 할 사람 유형을 몇 가지 살펴보자.

**20대에
되도록
멀리해야 할
사람 유형**

20대는 사람을 보는 안목을 키우는 나이다.
주변 사람을 제대로 알고 있어야 삶이 안정된다.

● 주변에 있으면 안 되는 사람 다섯 가지 유형

여러분은 언제 어디서든 새로운 사람을 만날 수 있다. 이때
상대를 정확히 꿰뚫어 보는 능력이 더욱 필요하다. 어딜 가나
조심해야 할 사람이 있기 때문이다.

사람 보는 눈이 있으면 다행이지만, 그렇지 않은 사람들을
위해 기본적으로 멀리해야 할 유형을 다섯 가지로 정리해보
았다.

'그 사람이 이럴 줄 정말 몰랐어' 하고 후회하기 전에 이것
만은 꼭 알아두자.

① 주변에 수동적이거나 계산적인 사람들만 있는 유형

사람은 자신과 비슷한 파장을 가진 사람들과 어울리게 된다.

그래서 가깝게 지내는 사람이나 곁에 있는 사람을 보면 그 사람의 됨됨이를 알 수 있다.

주변에 수동적이거나 손익만 따지는 사람들만 모여 있다면, 거기에 휘말리지 않도록 관계에 거리를 둬야 한다.

② 주변 사람들이 자주 바뀌는 유형

남들이 쫓아갈 수 없을 만큼 발전하는 속도가 너무 빠른 나머지 주변 사람들이 계속 바뀌는 사람도 있을 것이다. 그러나 이런 경우는 극히 일부에 불과하다.

친하게 지내는 사람이 자주 바뀌는 사람들은 어딘가 문제가 있을 확률이 높다. 관계를 지속적으로 유지하지 못한다는 것은 인간관계에서 발생하는 크고 작은 갈등을 해결하지 못한다는 뜻이기도 하다.

③ 상대에 따라 대하는 태도가 달라지는 유형

윗사람이나 지위가 높은 사람에게는 아첨하고, 아랫사람이나 부하 직원, 후배를 하대하는 사람이 있다. 어딜 가든 수시

오늘 하루가 10년을 책임진다

로 태도를 바꾸는 사람이니 경계하는 것이 좋다.

처음에는 여러분에게 친절한 태도로 대하는 것처럼 보여도 언제 어떻게 바뀔지 모른다.

그들이 차차 태도를 고칠 거란 기대는 하지 말자.

④ 과거의 영광이나 불평불만만 늘어놓는 유형

술자리 등에서 과거의 영광을 이야기하고 싶어 하는 사람들이 있다.

"내가 학교 때 3년 내내 회장을 했는데……."

"어렸을 때 부모님 덕에 부유하게 자랐어."

그들은 몇십 년 전 일을 사람들 앞에서 쉴 새 없이 떠들어댄다.

과거의 영광에 집착한다는 것은 현재 자기 삶에 만족하지 못한다는 증거다. 자기 자신에게 자신이 없다는 뜻이기도 하다.

가끔 과거 이야기를 하며 추억을 곱씹는 정도라면 괜찮다. 하지만 매번 똑같은 이야기를 반복하는 사람과는 거리를 둘 필요가 있다.

또 과거에 만난 연인이나 직장 동료 등에 대해 부정적으로 말하는 사람은 머지않아 여러분에 대해서도 나쁘게 말하고 다닐 가능성이 크다.

아무리 안 좋은 일이었어도 시간이 지나면 털어버릴 줄 알아야 한다. 그것을 계속 곱씹으며 수시로 이야기를 꺼낸다는 것은 과거에서 벗어나지 못한 상태라고 볼 수 있다.

반대로 지나온 시간에 감사할 줄 아는 사람은 신뢰해도 괜찮다.

⑤ 갑자기 솔깃한 이야기를 꺼내는 유형

만난 지 얼마 되지 않았는데 갑자기 솔깃한 이야기를 꺼내는 사람이 있다.

"돈 벌 수 있는 일이 있는데 혹시 관심 있어?"

"나 A회사 대표랑 친한데, 식사 한번 할까?"

이럴 때일수록 달콤한 말에 속아 넘어가지 않도록 이성적으로 생각해야 한다.

서로를 잘 모르는 상태에서 내밀한 정보를 흘리는 사람은 다른 의도를 가지고 있을 가능성이 크다. 귀가 번쩍 뜨이는 이야기 뒤에는 틀림없이 꿍꿍이가 숨어 있다.

여러분 앞에는 다양한 만남이 기다리고 있다.

상대방이 어떤 사람인지 잘 모를 때는 위 다섯 가지 유형을 기준으로 삼아 유심히 살펴보길 바란다.

이렇게 타인을 관찰하고 살피는 훈련을 하다 보면 자연스레 사람 보는 눈이 생긴다.

주변 사람을 제대로 알고 있어야 여러분의 삶도 안정된다.

여러분이 안정되고 행복한 삶을 살아가면 비슷한 가치관을 지닌 사람들이 주변에 모여들어 좋은 에너지가 서로 선순환된다.

자기 자신은 물론이고 다른 사람을 꿰뚫어 보는 통찰력은 인생에서 꼭 갖춰야 할 필수 능력이다.

**타인의 감정을
공감할 줄 아는
엘리트가
되어라**

성숙하고 강인한 엘리트는 사회 구성원들의 상황과 마음을
진심으로 헤아릴 줄 아는 사람이다.

● 몸을 써서 일해본 적 있는가?

공사장에서 일하거나 식당이나 카페에서 아르바이트를 하는 등 육체노동을 해본 적이 있는가?

이 글을 읽는 사람들 중에는 힘든 일은 가급적 피하고 깨끗하고 편한 곳만 선택해온 이들도 있을 것이다.

'궂은일은 하고 싶지 않아'라고 생각하면서 말이다.

과거에는 건설 현장이나 식당에서 아르바이트를 하는 젊은이들이 많았다. 특히 건설 현장은 몸은 고되지만 하루 일당이 높아서 젊은이들에게 인기가 좋았다. 시멘트나 돌을 운반하는 단순한 일을 했지만, 몸에 익은 일이 아니라 하루 이틀만 해도 온 몸에 파스를 붙였다. 그들이 과거를 회상하며 하나같이 하는 말이 있다. '땀을 잔뜩 흘린 뒤 사람들과 함께 먹는 고기와 소주 맛은 정말 최고였다'고.

지금은 분위기가 좀 다르다. 젊은이부터 나이든 사람들까지 일은 적게 하고 돈은 많이 벌 수 있는 일을 찾아다닌다. 사회적 변화와 산업 구조의 발전으로 인한 것이므로 옳고 그름의 잣대에 올릴 수는 없다. 그러나 알아두어야 할 것이 하나 있다.

세상에는 다양한 인생과 수많은 직업이 있다는 진리이다.

사람은 누구나 자기 나름의 가치관과 인생관에 따라 하루하루 최선을 다해 살아가고 있다는 것을 항상 마음에 품고 다녀야 한다.

● **정신적으로 성숙한 엘리트**

대기업에서 일하는 사람과 영세한 하청 업체에서 일하는 사람은 서로 동떨어진 세상에서 살아간다. 그들은 살아온 배경과 가치관, 하다못해 주변 사람들의 사회적 입지도 다르다.

같은 회사 내에서도 소수의 엘리트와 현장 노동자 사이에는 커다란 간극이 있다. 일류 대학을 나온 사람들은 처음부터 엘리트 코스를 밟아 나간다.

그 과정에서 인간관계나 업무 실적 때문에 자기 나름대로 좌절감을 맛보겠지만, 쾌적한 사무실에 앉아서 일하는 것과 현장에서 땀 흘리면서 일하는 것은 엄연히 다르다.

사회나 조직의 중심에서 일을 하면 남들이 누리지 못하는 것들을 얻고, 자연히 더 높은 곳을 바라보게 된다.

높은 곳으로 올라갈수록 세상의 큰 흐름과 구조가 잘 보이고 이를 바꿔 나갈 힘이 생긴다. 직업인으로서 제법 만족스러운 인생을 보낼 수 있다.

그러나 성숙한 엘리트가 한 가지 더 갖춰야 할 것이 있다. 자신과 다른 상황에서 일하는 약자에 대한 관심을 가져야 한다는 점이다.

적어도 사회 구성원들의 상황과 마음을 헤아리지 못하는 미성숙하고 연약한 엘리트는 되지 말자.

● 타인의 고통을 아는 것은 어른이 되는 과정이다

누군가가 이렇게 말했다.

"좋은 환경에서 편한 일만 해온 사람들은 스스로 운이 좋았다고 생각할지도 모르나, 다양한 직업이 지닌 고초를 이해할 기회를 갖지 못한다. 세상과 타인의 고통을 아는 것은 어른이 되기 위해 꼭 필요한 과정이다."

세상에는 극소수의 엘리트와 경영자만 있는 것이 아니다.

보이지 않는 수많은 사람들이 숱한 시련을 이겨내며 이 사회를 이끌어 가고 있다는 사실을 잊어서는 안 된다.

그래서 가끔은 땅바닥에 주저앉아 봐야 한다.

부랑자가 되라는 말이 아니다. 지금 앉아 있는 높은 사다리에서 내려와 땅바닥에 앉아 보라는 의미다.

예를 들어, 여행을 떠난다면 좋은 호텔보다 게스트하우스나 작은 마을의 민박집에서 지내보는 것이다. 여행지에서 만난 사람들과 함께 술을 마시고 활기 넘치는 번화가를 무작정 돌아다녀도 좋다.

나는 학생 시절에 공사 현장에서 안전 요원으로 일하고 이

자카야에서 설거지를 하는 등 다양한 경험을 했던 것을 큰 행운으로 여긴다. 현재 이자카야를 경영하고 있는 것도 그때의 경험이 발판이 되었다.

게다가 사무실 직원부터 현장에서 일하는 노동자까지, 다양한 사람들과 접한 덕분에 그 경험들로 이렇게 여러분을 만나고 있지 않은가.

**20대의
마음가짐**

자신과 다른 길을 선택한 사람들을 얕보지 말고
자신의 길을 묵묵히 걸어가야 한다.

● 다른 사람을 얕보지 말고 자신의 길을 걷는다

젊은 나이에 창업해 큰돈을 번 사람들의 인터뷰 기사를 읽
다 보면, 땀 흘려 일하는 직장인을 아무렇지 않게 무시하는
듯한 발언을 쉽게 발견할 수 있다.

"한 번밖에 없는 인생, 평생 회사의 노예로 살다니 말도 안
돼요."

"몇십 년 동안 대출금만 갚으면서 살고 싶진 않아요."

이런 기사를 접할 때마다 "에잇, 이게 무슨 말이야!" 하고
화가 치밀어 오른다.

이렇게 모든 걸 다 안다는 듯 잘난 체하는 20대가 되지 않

기를 바란다.

세상에는 자기 힘으로 회사를 일으켜 주도적으로 사업을 이끌어 나가는 인생도 있고, 평생직장에서 일을 하면서 살아가는 인생도 있다.

자신과 다른 길을 선택한 사람들을 얕보지 말고 자신의 길을 걸어가는 것에 집중하자.

● 이름 없는 영웅들이 쌓은 토대 위에서

사회를 움직이는 힘은 어디에서 올까? 사회 곳곳에서 작지만 위대한 자기만의 일을 성실히 수행하는 모든 이들에게서 나온다. 회사를 다니는 직장인도 여기에 속한다. 경영자나 엘리트들의 역할이 이들보다 크다고 할 수 없다.

직장인들은 혼자서는 절대 이룰 수 없는 거대한 목표를 달성하기 위해 자신의 의지와 욕망을 조절하면서 조직의 톱니바퀴가 되어 온 힘을 다해 일한다.

사회의 발전은 이런 이름 없는 영웅들이 일궈낸 결과다.

그들이 없었다면 어느 국가가 되었든 고도의 경제 성장을 이룰 수 없다. 도요타, 소니, 마쓰시타와 같은 다국적 기업도

탄생하지 못했을 것이다.

수많은 직장인들이 쌓아놓은 토대 위에서 많은 것들을 누리면서 그들을 바보 취급하다니 편협하기 그지없다.

생업에 종사하는 많은 사람들이 직장인이다. 여러분 중에서도 반 이상은 직장인의 삶을 살아갈 것이다. 자신의 미래가 될 수도 있는 직장인을 얕보거나 안타깝게 바라보지 말자.

소중한 사람을 위해 열심히 달려온 이 땅의 모든 직장인들에게 존경의 마음을 보낸다.

'20대를 어떻게 보내면 좋을까?'
그 해답을 찾고 있는 사람들에게 이 책을 권한다.

제5장

20대의 사고방식

무난하게 살지 마라

twenties

도망치고 싶을 때가 있다

잘 풀리지 않을 때는 성장기, 잘 풀릴 때는 성공기이다.
이렇게 생각하면 인생에 나쁜 시기는 없다.

● **돌아보면 20대는 실패투성이**

나의 20대는 실패투성이였다.

유일하게 자신을 칭찬할 수 있는 점은 도전한 횟수만큼은 누구에게도 뒤지지 않는다는 것뿐이다.

성공 경험도 많지 않았다.

부끄러움을 무릅쓰고 나의 20대 시절을 이야기해보려고 한다.

● 스물여덟 살, 첫 강연을 하다

나는 스물여섯 살에 다코야키 노점상을 시작해, 스물여덟 살이 되었을 때 고향 오이타현 나카쓰시에 '히나타야'라는 150석 규모의 대형 음식점을 열었다.

손님들이 찾아준 덕분에 가게 매상은 쑥쑥 올랐고, 고향 사람들은 나를 '성공한 젊은이'라며 추켜세웠다.

하루는 내 인생의 은인 같은 분이 이렇게 말했다.

"자네의 이야기를 모두에게 들려주게나."

그때부터 나는 어설프게나마 강연 활동을 시작했다.

첫 강연은 고향의 할머니, 할아버지, 아주머니, 아저씨들 앞에서 했다.

나의 첫 강연 주제는 '어떤 사람을 만나느냐에 따라 인생이 달라진다'였다.

결과는 꽤 성공적이었다.

"나카쓰에도 이런 활력 넘치는 젊은이가 있었구면" 하고 다들 흡족해했다. 이 강연을 시작으로 여러 단체로부터 강연 요청이 쇄도했다.

그 후 될 수 있는 한 많은 곳을 돌아다니며 내 이야기를 했고, 감사하게도 입소문이 퍼져 활동 무대가 점점 더 넓어졌다.

당시 나는 20대라는 나이에 걸맞지 않은 대우를 받았다.

**나는 자만에 빠져 있었다. 거만하다 못해 어리석은 상태였다.
하늘 높은 줄 모르고 한껏 우쭐해져 있었다.**

● 나의 첫 실패 이야기

착각에 빠져 우쭐대는 애송이를 길게 봐줄 만큼 세상은 호락호락하지 않았다.

다른 지역으로 강연을 나가 보니, '히나타야'라는 음식점은 물론이고 '나가마쓰 시게히사'라는 애송이에 대해 아는 사람은 아무도 없었다.

그런 곳에서 강연을 하면 '어린놈이 대체 무슨 얘기를 하려는 거야?'라는 듯 시큰둥하게 앉아 있는 청중들과 마주해야 했다. 나는 냉랭한 분위기 속에서 강연을 이끌어가는 게 무척 힘들었고, 언제부터인가 강연 전날만 되면 도망치고 싶은 기분이 들었다.

시작하기도 전에 그런 상태이다 보니, 강연 중에도 머릿속이 새하얘져서 내가 무슨 말을 하고 있는지 알지 못했다. 온몸에서 식은땀만 줄줄 흘러내렸다.

어느 날 기어이 사건이 터지고 말았다. 강연 도중에 청중들이 일어나 줄줄이 나가버린 것이다.

강연장에는 행사 주최자와 마음 약한 몇몇 사람들, 그리고 강연 내내 꾸벅꾸벅 졸던 사람들만 남았다.

우여곡절 끝에 서둘러 강의만 마무리하고 간담회는 거절한 채 집으로 돌아왔다. 아니, 도망쳐왔다고 하는 편이 맞는 말이다.

"더는 못하겠어요. 아무도 제 이야기를 들어주지 않아요. 전 재능이 없나 봐요."

한밤중에 나는 나를 처음으로 강연장에 세운 사람에게 복잡한 심정을 털어놓았다.

그러자 사장이 큰소리로 웃더니 이렇게 말했다.

"잘됐군, 잘됐어. 자네 아주 잘 배우고 있네."

나는 그 말을 들으며 풀이 죽어 생각했다.

'잘 배우고 있다니? 난 속이 타들어 갈 지경인데. 남의 일이라고 저렇게 태평한 말을……'

그러나 그다음 말이 절망에 빠져 있던 나를 구해주었다.

● 인생의 모든 때는 성장기와 성공기이다

"인생에는 오르막길과 내리막길이 있다는 말을 들어보았나?"

"네. 들어봤습니다."

"자네는 지금 내리막길을 걷고 있어."

"맞습니다. 그것도 아주 급경사인 것 같아요."

"삶에는 리듬이 있다네. 좋을 때는 오르막길, 나쁠 때는 내리막길을 걷게 되지. 그런데 좋다, 나쁘다 이분법적으로 생각하니까 절망하고 좌절하는 거야. 좋을 때는 '성공기', 나쁠 때는 '성장기'라고 생각하면 어떨까?"

"성공기와 성장기요?"

"자네 가게가 궤도에 올랐을 때 사람들은 자네를 추켜세웠을 거야. 그때가 '성공기'였던 거지. 하지만 계속 그대로였다면 자넨 우물 안 개구리로 끝났을지도 몰라. 강연을 다녀 보니 어땠나? 아무도 자네에 대해서 알지 못한다는 사실을 몸소 깨달았지?"

지금 생각해보면 방송에 나온 적도 없고 대단한 업적을 세운 것도 아닌 시골의 햇병아리 사업가를 모르는 것은 당연한 일이었다.

그런데도 멋모르고 우쭐대며 '왜 아무도 나를 모르는 거지? 생각보다 내가 별로 안 유명한가?' 하고 바보 같은 생각을 했다.

"자네가 그런 경험을 하지 않았다면 아무것도 배우지 못했을 거야. 참 좋은 공부를 했네. 잘 풀리지 않을 때는 성장기, 잘 풀릴 때는 성공기라고 여기게나. 그렇게 생각하면 인생에 나쁜 시기는 없네."

그 후로 17년이 지났다.

그의 조언 덕분에 나는 이곳저곳에서 초청받는 꽤 유명한 강연자가 되었다.

청중 만 명 앞에서 강연을 하고 있으며, '강사 그랑프리'의 특별 게스트로 무대에 선 적도 있다.

나에 대해 아무도 모르는 곳에서 잔뜩 주눅 든 채 강연했던 시간이 있었기에, 지금 내 이야기를 들으러 찾아와 주는 사람들의 소중함을 마음 깊이 느낄 수 있는 것 아닐까?

성장하거나
성공하는 때만
있을 뿐이다

'성공기'에 들어서 있을 때 자만하지 말고 감사를 잊지 말자.
그러면 언젠가 닥쳐올 '성장기'도 잘 지나갈 수 있다.

● 잘 풀리지 않을 때는 어떻게 할까?

'성장'과 '성공'에 대해 다시 한번 명확히 설명하고자 한다.

바이오리듬이 그려진 그래프를 상상해보자.

마루와 골이 번갈아 나타나는 모양이 떠오를 것이다.

우선 아래로 움푹 들어간 골 부분은 순조롭지 않은 시기다.

• 좋은 만남이 없다.

• 일이 잘 풀리지 않는다.

• 연인과 자주 다툰다.

• 인간관계에서 끊임없이 문제가 생긴다.

● 지금 자신의 모습이 싫다.

사실 이럴 때는 아무리 발버둥 쳐도 일이 잘 풀리지 않는다.
**하지만 이 시기를 어떻게 보내느냐에 따라 훗날 행동과 사고
방식이 달라진다.**

인생 전체를 놓고 보면 사람들은 잘 풀리지 않는 시기에 뭔
가를 배운다.

잘되지 않을 때 비로소 문제의식을 느끼며, 그 덕분에 책을
읽거나 자기 자신을 갈고닦으며 앞날에 대해 신중히 고민하
기 시작한다.

**힘든 시기는 '성장기'이다. 일이 잘 풀리지 않는 시기야말로 성
장할 수 있는 절호의 기회다.**

'겨울이 오면 봄도 멀지 않으리'라는 시구처럼 혹독한 겨
울을 보내고 나면 기다리던 봄이 찾아온다. 삶이 힘들 때, 인
생의 내리막길을 걷고 있다고 느낄 때 사람은 한층 더 성장
한다.

바이오리듬이 상승 곡선을 그리지 못해도 배우는 동안에
는 자기 안에 대단한 힘이 축적된다. 이때 '아, 지금은 성장기
구나'라고 인지하고 자신을 갈고닦으면 된다.

앞에서 말한 '플러스 사고방식'과 연관지어 생각하면 이 말의 의미가 더 쉽게 다가올 것이다.

● 잘 풀리지 않을 때는 배우고, 잘 풀릴 때는 감사하라

'성장기'가 끝나면 이번에는 바이오리듬이 상승 곡선을 그리기 시작한다.

성장기 때 최선을 다해 자신과 마주하면 인생은 어느 순간 상승세로 돌아선다.

이 시기가 **'성공기'**이다.

성공기에는 힘든 시기를 견디며 배운 것들이 결실을 거두는 때이므로 하는 일이 모두 순조롭게 풀린다.

하지만 잘 풀릴 때일수록 주의해야 한다. 사람에게는 '망각하는 능력'이 있기 때문이다.

과거에 얽매이면 앞으로 나아갈 수 없다. 다행히 인간은 괴로운 일을 잊어버리는 자연스러운 본능을 갖고 있다. 그러나 성장기 때 자신을 지지해준 사람이나 가르침을 잊어버리면 언젠가 예상치 못한 장벽에 부딪히게 된다.

사업을 시작한 지 얼마 되지 않았을 때는 겸손하게 머리를 숙이다가, 일이 잘 풀리면 소중한 사람들의 존재를 잊은 채 새롭고 화려한 세계로 눈을 돌리는 경우가 허다하다. 그러다가 문득 주위를 둘러보면 내 곁에 남은 것이 하나도 없다. 소중한 것들이 모두 사라진 상태이다.

성공기 때는 어떤 마음가짐을 가져야 할까?

처지가 좋을 때는 자신을 지지해준 사람들에게 감사해야 한다. 또 가능한 한 다른 사람을 위해 몸과 마음을 움직여야 한다.

그러면 남에게 견제당할 일도 줄어들고, 성공기도 오래 이어질 것이다.

● 한 가지만 바꿔도 좋은 방향으로 흘러간다

인생에는 두 가지 바이오리듬이 있다는 사실을 기억해두자.

그러면 하강 곡선이 그려질 '성장기'에 대비하여 무엇을 해야 할지가 보인다.

그 준비를 철저히 할수록 성공기가 오래 이어지며, 뒤이어지는 성장기는 짧아진다.

바이오리듬 그래프를 보면 인생은 좋은 시기와 나쁜 시기로 나뉜다. 그러나 사고를 전환해서 생각해보면 인생에는 '성장기'와 '성공기'만 존재한다는 진리를 발견할 것이다.

지금 자신이 '성장기'에 있다고 생각하는 사람은 실력을 탄탄하게 다지는 시기로 만든다.

'성공기'에 들어서 있는 사람은 하루하루의 업무와 곁에 있는 사람을 소중히 여긴다.

성장기에는 철저히 배우고, 성공기에는 자만하지 않으면 인생이 훨씬 더 즐거워진다.

'인생에는 성장과 성공만 있을 뿐이다.'

이 말을 마음속 깊이 새기길 바란다.

뛰어난
기술보다
노력과 열정이
중요하다

좀 더 높은 곳으로 올라가고 싶다고 생각하는 사람만이
그곳으로 가기 위한 사다리의 존재를 생각해낸다.

● 자기만의 독자성을 가져라

원하는 바를 이루기 위해서는 독자성이 필요하다.

여러분의 꿈이 그 누구도 바라지 않는 기상천외한 것일 필요는 없다. 독자성은 그런 의미가 아니다.

독자성은 무엇을 생각하고 목표를 향해 어떤 노력을 하는 데 있어서 다른 것들과 구별되는 자기만의 고유한 성질을 의미한다.

자신이 꿈꾸는 미래에 자신의 인생과 생각이 담길 때, 여러분만의 독자성이 생긴다.

사람들은 여러분의 미래가 오랜 고민 끝에 스스로 완성한 것인지, 아니면 누군가에게 주위들은 꿈을 자신의 꿈인 양 말하는 것인지 단번에 알아차린다.

예를 들어 여러분이 전문 강사를 꿈꾼다고 해보자.

만약 "멋져 보이고 인기도 많고 돈을 많이 벌 수 있으니까요"라는 이유로 강사가 되고 싶다면 나만의 독자성은 없는 셈이다.

이렇게 생각하는 사람은 나 말고도 수두룩하기 때문이다.

그 대신 **"저는 제 경험을 나누며 사람들에게 힘이 되고 싶어요. 그래서 그 꿈을 이루기 위해 3분짜리 경험담 1,000개를 만들어 녹음했어요"**라고 말하는 순간 여러분은 '독자성'을 획득하게 된다. 그야말로 반짝반짝 빛나는 자기만의 독자성이다.

꿈을 향한 노력과 열정이 '독자성'을 낳고, 이로 인해 성공한 사람들로부터 좋은 평판을 얻을 수 있다.

● **모든 일은 '바라는 마음'에서 시작된다**

일본을 대표하는 경영자 마쓰시타 고노스케 씨가 한창 왕

성하게 활동하던 시기에 강연을 하기 위해 연단에 올랐다.

강의가 끝나고 질의응답 시간에 어느 경영자가 물었다.

"마쓰시타 씨께서 말씀하신 내용은 모두 맞는 말입니다. 하지만 현실은 그렇게 만만하지 않잖아요. 어떻게 하면 저도 그렇게 할 수 있을까요?"

그러자 마쓰시타 씨가 말했다.

"우선은 '그렇게 되고 싶다'고 간절히 바라야 합니다."

선문답 같은 대답에 강의장 안은 웃음바다로 변했다.

하지만 단 한 사람, 그 대답을 듣고 커다란 충격에 빠진 이가 있었다.

바로 교세라 그룹의 창업주인 이나모리 가즈오 씨였다.

"2층으로 올라가고 싶다고 절실히 바라는 사람만이 사다리를 생각해냅니다. 달에 가고 싶다고 열렬히 원하는 사람만이 로켓을 만들 수 있습니다. 무엇보다 중요한 것은 열정이에요. 열정만 있으면 방법이야 얼마든지 찾을 수 있습니다."

마쓰시타 씨는 항상 이렇게 말했다고 한다.

좀 더 높은 곳으로 올라가고 싶다고 생각하는 사람만이 위로 가기 위한 사다리의 존재를 떠올린다.

하늘을 날고 싶은 마음이 간절한 사람이 비행기를 만든다.

"반드시 그 꿈을 이루고 말겠어."

이렇게 마음먹은 순간 꿈을 실현하는 방법이 하나둘 보이기 시작한다.

한계는 자기 마음이 만들어내는 것이다.

여러분이 할 수 있는지 없는지를 떠나 일단 해보자고 결심했을 때, 이를 가로막을 수 있는 사람은 아무도 없다.

**20대의
눈빛으로
살아가라**

지금 당장 목표가 없고 마음이 초조하다면
'나는 어떤 사람이 되고 싶었지?'라고 생각해본다.

● 뒤로 숨지 말고 더 큰 미래를 그려라

이 책에서 내가 꼭 전하고 싶은 메시지는 이것 하나이다.

'20대에 좀 더 자유롭게, 좀 더 욕심 부리며 살아라.'

한 번뿐인 인생의 미래를 자유롭게 그려볼 수 있는 20대에는 자신의 한계나 조건에 집중하기보다 더 큰 목표를 세우면서 앞으로 나아가야 한다.

목표를 이루는 것에만 매달리지 말고 크고 높게 잡아야 결과적으로 인생의 폭이 넓어진다.

여러분이 스쿼트를 한다고 해보자.

스쿼트 목표가 30회라면 25회를 넘긴 순간부터 힘들어지고 30회를 달성하자마자 "해냈다! 아이고, 힘들어 죽겠네!" 하며 주저앉을 것이다.

하지만 처음부터 100회라는 큰 목표를 세우면 놀랍게도 30회 정도는 거뜬히 해낸다.

또 다른 예를 살펴보자.

평소에 10km 내에서만 운전하는 사람이 20km 이상 떨어진 곳에 갔다고 해보자. 그럼 그는 "오늘 정말 운전 많이 했네"라고 생각할 것이다.

하지만 300km 이상 떨어진 곳에 여행을 가면 100km쯤은 가볍게 운전할 수 있다. 보통 때보다 많이 운전했는데도 그 거리를 멀다고 느끼지 않는다.

이렇게 생각하는 데에는 이유가 있다.

사람의 뇌는 목표 지점이 멀면 멀수록 눈앞에 있는 한계를 잊기 쉽게 설계되어 있다.

목표 지점을 되도록 멀리 설정하고 행동해야 한계점도 멀어진다는 의미다.

● 목표는 빛을 밝히는 스위치다

그동안 만나본 젊은이들 중에 사회적으로 성공한 이들에게 발견되는 공통점이 있다. 그들의 눈은 마치 사냥감을 앞에 둔 사냥꾼의 눈빛과 비슷하다. 목표물이 크면 클수록 그들의 눈은 더욱 강렬하게 빛난다.

무언가를 단단히 점찍어 둔 눈은 평범한 사람의 눈과 전혀 다른 광채를 뿜는다.

지금 당장 목표가 없고 마음만 초조하다면 자기 자신에게 이렇게 질문해보자.

'나는 과거에 어떤 사람이 되고 싶었지?'

동경하는 어떤 사람이나 영화 속 주인공도 상관없다.

머릿속에 천천히 떠올려보기를 바란다.

지금 당장 명확한 목표는 없더라도 누구나 이상적으로 생각하는 사람이 한 명쯤 있을 것이다. 우선은 그 막연했던 이상형을 마음 서랍에서 꺼내보자.

우리 마음속에는 스위치가 있다. '이렇게 되고 싶다'라는 목표를 설정하면 그 스위치가 켜지고 두 눈이 반짝반짝 빛나기 시작한다.

앞서 나가는 젊은이의 눈은 항상 목표를 좇고 있다.

그래서 늘 반짝이는 것이 아닐까?

관계 속에서 의미 있게 사는 법을 배운다

성공한 사람은 선배, 부모, 직장 상사, 후배, 자녀 등
자기와 다른 세대와의 연대를 꾸준히 만들어간다.

● 관계를 알면 인생이 보인다

이번에는 인간관계의 범위에 대해 생각해보자.

20대의 인간관계를 생각해보면, 나이가 비슷한 사람이나 친구, 커뮤니티 구성원처럼 또래 관계에만 주목한다. 그런 사람들과 함께 있을 때 마음이 편안하고 공감과 소통이 잘 된다고 생각하기 때문이다.

그런데 인간관계에서 또래 관계는 일부이다. 조금 불편하고 껄끄럽지만 앞으로 여러분의 인생에서 반 이상을 차지하게 될 관계는 다른 데 있다.

바로 부모나 선배 세대, 자식, 손자, 또는 자신이 만날 수 없

는 다음 세대와의 관계이다.

인간은 과거에 살았던 사람들에게 많은 것을 배운다. 우리
가 지금 누리고 있는 모든 것들은 과거로부터 축적된 인류의
보고이다. 우리가 지금 하고 있는 일들의 일부도 언젠가 후대
로 옮겨갈 것이다.

이렇듯 한 세대가 다음 세대에 뭔가를 전하는 것은 인류의
합의된 약속과도 같은 것이다. 앞 세대로부터 자양분을 얻고
성장한 사람은 훗날 거기에 또 다른 자양분을 덮어 다음 세대
에게 전한다.

**성공한 사람은 만나는 사람들의 나이대가 다른 사람들보다
훨씬 더 넓게 분포되어 있다.**

성공한 사람은 선배, 부모, 직장 상사, 후배, 자녀 등 자기와
다른 세대와의 연대를 꾸준히 만들어간다.

자기들만의 세계에서 벗어나 관계를 폭넓게 형성하고, 특
히 윗사람들에게 배운 정수를 현재에 적용할 줄 안다. 다양한
세대와 폭넓게 소통하고 그들의 응원을 받을 수 있다는 것이
인생에서 얼마나 큰 도움이 되는지 느껴보자.

● 한 번쯤 살아가는 의미를 되새겨보라

인생의 출발선인 20대에 '죽음'에 대해 생각하기란 쉽지 않다. 하지만 인생의 끝을 생각해보는 것만으로도 마음가짐이 확연히 달라진다. 고민해보는 횟수가 늘수록 의미 있는 인생에 한 발짝 더 가까워진다.

사람은 태어나는 순간부터 죽음을 향해 한 발 한 발 걸어간다. 인생은 유한하다.

아무리 대단한 사람이라도 삶이라는 이 시스템에서 벗어날 수 없다. 모두에게 공평한 그 한계를 내버려두지 말고, 나의 자산으로 이용하는 것이다.

'끝'을 생각하지 않으면 본질을 잃게 되는 일이 잦고, 본질을 잃으면 당신은 진정한 성공을 이룰 수 없다. 겉만 번지르르한 성공은 오래 가지 않는다. 삶과 함께 가는 성공이 진정한 성공이다. 그러니 살아가는 의미를 항상 떠올려라.

잠시라도 시간을 내서 자신에게 물어보자.

"나는 무엇을 남길 수 있을까?"

'나'라는
세계관과
자기중심을
가져라

'그 사람답다'는 인생이 순탄할 때 드러나지 않는다.
막다른 곳에 몰렸을 때 비로소 그 힘이 발휘된다.

● '나'라는 세계관

성공하는 사람들은 공통적으로 자기 안에 '중심'을 갖는다.

'중심'이란 바꿔 말해 자기 나름의 규범이자 가치관이다.
이 규범은 사람에 따라 다양하지만 그 수는 많지 않다. 다른
사람에게 억지로 강요할 수 있는 것도 아니다.

어디까지나 자기 혼자서 지켜나가는 것이기에 '중심'을 가
진 사람은 주변 사람에게 너그럽고 배려심도 많다.

중심을 갖는다는 것은 어떤 의미에서 '준비'라고 볼 수 있다.

**'이럴 때 나는 이렇게 움직인다'라는 준비이다. 준비된 사람은
결단도 빠르다.**

경험이 쌓일수록 '그 사람답다'라는 독자적인 행동 양식이 만들어진다.

그렇기에 앞서 나가는 사람의 행동은 현명하다. 행동에 군더더기가 없을 뿐더러 무엇보다 신중하게 자신에게 어울리는 선택을 한다.

'그 사람답다'는 인생이 순탄할 때 잘 드러나지 않는다. 막다른 곳에 몰렸을 때 그 힘이 발휘된다.

● 무수한 실패가 만들어낸 '중심'

자기 안에 '중심'이 있는 사람은 그것이 좋은 일이든 나쁜 일이든 일관성 있게 행동한다.

반면에 평소 철두철미하게 보이는 사람도 자신이 만들어 놓은 '중심'이 없어 갈피를 잡지 못하고 허둥대기 일쑤다. 자기와의 약속이 없기 때문에 문제가 생겼을 때 쉽게 동요한다.

물론 '중심'이 확고하더라도 우리는 패배하고 또 무수한 실패를 맛본다.

그러나 자기 안에 중심이 있는 사람과 주변에 쉽게 휩쓸리는 사람의 앞날은 엄연히 다르다.

패배했을 때 변명하지 않고 그 경험을 인생의 거름으로 삼겠다고 결심한 사람은 변명을 장황하게 늘어놓지 않는다. 재빨리 패배를 인정하고 다시 걸어 나간다.

"이번에는 도저히 이길 수 없는 상황이었어."

"시간이 조금만 더 있었다면 뒤집을 수 있었는데."

그들은 이런 식으로 그럴싸하게 얼버무리며 패배를 숨기지 않는다.

패배를 인정하지 않은 사람은 자기 안의 소중한 무언가를 잃을까 봐 굉장히 두려워한다.

'소중한 무엇', 이것은 자긍심이다.

성공하는 사람은 이루고자 하는 자신의 모습을 포기하지 않기 때문에 자긍심에 상처를 입지 않고 살아간다.

이 자긍심과 철칙을 마침내 더 견고하게 자기중심으로 바꿔나간다.

이처럼 어떤 상황에서도 일관된 태도를 보이는 사람은 특별한 에너지를 내뿜는다. 이 에너지는 다른 사람들의 마음을 하나둘 끌어모으는 힘도 지닌다.

● 20대에 이것만은 꼭 지키고 싶다면

인생에 단 한 번밖에 오지 않는 20대.

지금까지 인생의 기초를 다지는 20대의 10년을 어떻게 보내야 할지 여러분과 함께 고민해보았다.

20대를 지나온 한 사람으로서 솔직하게 말하고 싶다.

포기하지 마라. 주변에 휩쓸려 살지 마라.

인생에 단 한 번뿐인 20대를 무난하게 살지 마라.

'이럴 때는 이렇게 행동한다', '이것만은 절대 하지 않는다', '이것은 반드시 지킨다'라는 자기만의 뚜렷한 중심을 만들어라.

20대니까 아직 시간이 많다고 생각할지도 모르지만 그렇지 않다.

20대에 만들어놓은 자기만의 '중심'이 인생 전반에 얼마나 큰 영향을 미치는지, 여러분의 수많은 인생 선배들이 증명하고 있다.

여러분이 어떤 마음가짐과 가치관으로 살아가느냐에 따라 자기 자신은 물론이고 주변 사람들의 태도도 달라진다.

자기 안에 확고한 가치관을 지닌 사람은 다른 사람과의 관계를 안정적이고 원활하게 유지시킨다.

또한 주변 사람들은 당신을 좋은 의미에서 '그 사람답다'라고 생각할 것이다.

나만의 독자적인 세계관은 '나'라는 존재를 하나의 브랜드로 만들어준다.

여러분이 20대에 자신을 브랜드화한다면 상상 이상의 대단한 미래를 맞이할 수 있을 것이다.

20대의 시간, 여러분은 지금부터 10년을 어떻게 살 것인가?

에필
로그

'자기중심'이 유일하고 확실한 답이다

시간은 늘 그렇듯 빨리 지나간다.

고민 많던 20대 시절이 어제 일처럼 생생하다. '어쩌다 보니' 20대를 대상으로 책을 쓰면서 참 오랜만에 그 시절로 돌아가보았다. 여기에 '어쩌다 보니'라고 적은 데에는 다 이유가 있다.

《20대를 무난하게 살지 마라》의 시리즈이자 전작인《30대를 무난하게 살지 마라》는 감사하게도 많은 독자들의 사랑을 받았다. 독자들 중에는 30대를 앞둔 20대도 적지 않았다.

나는 그 책의 마지막 부분에 "나는 20대를 대상으로 책을 쓰지 않을 것이다. 20대를 이끌어주는 것은 30대인 여러분의 몫이기 때문이다"라고 말했다. 그런데 20대를 어떻게 보내야 할지 모르겠다는 독자들의 계속되는 요청에 못 이겨 다시 펜을 들게 되었다. '어쩌다 보니' 그렇게 되었다.

이 책을 집필하던 2020년 봄, 여러분에게나 나에게 평생 잊을 수 없는 사태가 일어났다. 전 세계 사람들을 공포와 불안에 떨게 한 '코로나19 팬데믹'이다. 여유롭고 평화롭게 살던 사람들마저 시험대에 올랐을 정도로 세계는 지금 혼돈 그 자체이다.

"앞으로 어떻게 살아야 할 것인가?"

모든 세대는 지금 자신들이 살아가는 방식에 대해 질문하고 있다. 인생에서 단 한 번도 그 물음에 대해 고민해본 적 없던 사람들까지 답을 찾아 나서고 있다.

이런 때 20대들의 상황은 더 어렵고 힘들다. 그들은 지금 이 순간에도 스스로에게 묻고 있을 것이다.

"나의 20대를 어떻게 살아야 하지?"

나는 20대에는 '자기중심'을 세우라고 말해주고 싶다. 이것이 이 책이 여러분에게 말하는 한 가지이다.

세상은 지금보다 훨씬 더 격변할 것이다. 이러한 시대적 흐름 속에서 20대인 여러분은 사람들의 다양한 삶을 바라보며, 지금 당장 어떻게 말하고 행동해야 할지 몰라 갈팡질팡하고 있다. 때로는 길을 잃을 것이다. 문제는 크게 좌절하다가 다른 사람을 탓하거나 원망하고, 결국 자기 자신을 부정한다는 점이다.

그런 순간에 이 책이 여러분의 올바른 길잡이로, 선생, 친구, 멘토가 되어줄 수 있다면 저자로서 더 바랄 것이 없겠다. 인생에서 '자기중심'만이 가장 유일하고 확실한 답이다.

이 책을 읽어준 독자들에게 마음속 깊이 감사한다.

20대의 소중한 10년이 한층 더 빛나기를…….

'20대를 어떻게 보내면 좋을까?'
그 해답을 찾고 있는 사람들에게 이 책을 권한다.

20대를 무난하게 살지 마라

초판 1쇄 인쇄 2021년 10월 25일
초판 1쇄 발행 2021년 10월 29일

지은이 나가마쓰 시게히사
옮긴이 박지운

펴낸이 조종현
기획편집 정희숙
책임교정 김유진
표지·본문 디자인 투에스디자인
펴낸곳 길위의책

출판등록 제312-25100-2015-000068호 · 2015년 9월 23일
주소 03763) 서울시 서대문구 이화여대8길 123, 105-607
전화 02-393-3537 **팩스** 0303-0945-3537
블로그 https://blog.naver.com/roadonbook
이메일 roadonbook@naver.com

ⓒ 나가마쓰 시게히사 2021

ISBN 979-11-89151-21-8 (03190)